# NOTRE NOURRITURE

## ALIMENTS, CULTURE ET SANTÉ

Légumes sautés dans peu de matières grasses,
un mode de cuisson sain

Chocolat, source de fer

Pommes et airelles,
riches en fibres solubles

Homard, source
de protéines riche
en minéraux

Huile d'olive, un lipide mono-insaturé

Fruits frais, riches en antioxydants

# NOTRE NOURRITURE
## ALIMENTS, CULTURE ET SANTÉ

par
Laura Buller

Moines bouddhistes partageant un repas végétarien

LES YEUX DE LA DÉCOUVERTE / GALLIMARD

Plant
de pomme
de terre

Poivrons, riches
en principes actifs

Calorimètre
du XIXe siècle

Comité éditorial

Londres :
Jonathan Metcalf, Andrew Macintyre,
Jane Thomas et Linda Esposito

Paris :
Christine Baker, Thomas Dartige
et Éric Pierrat

Pour l'édition originale :
Cooling Brown Ltd :
Direction artistique  Arthur Brown
Edition  Kesta Desmond
Maquette  Tish Jone, Elaine Hewson et Elly King
Dorling Kindersley Ltd :
Edition  David John
Maquette  Philip Letsu
Iconographe  Marie Ortu
Iconothèque  Sarah Mills, Kate Ledwith
Fabrication  Luca Bazzoli
Maquettiste PAO  Natasha Lu
Conseiller  Fiona Hunter

Pour l'édition française :
Traduction  Hélène Piantone
Préparation, édition, PAO  Bruno Porlier
Corrections  Dominique Mojal-Maurel
Conseillère  Julie Ferrol, diététicienne, hôpital de Sully-sur-Loire.
Maquette de couverture  Raymond Stoffel et Aubin Leray
Photogravure de couverture  IGS (16)

Collection créée par

Peter Kindersley
et
Pierre Marchand

Confiseries contenant
des colorants artificiels

Conserves
au vinaigre

ISBN 2-07-057281-1
La conception de cette collection est le fruit
d'une collaboration entre les Éditions Gallimard
et Dorling Kindersley
© Dorling Kindersley Limited, Londres, 2005
Edition originale parue sous le titre :
*Eyewitness Guides Food*
© Éditions Gallimard, Paris, 2006, pour l'édition française
Loi n° 49-956 du 16 juillet 1949
sur les publications destinées à la jeunesse
Dépôt légal : septembre 2006
N° d'édition : 138090

Photogravure : Colourscan, Singapour
Imprimé en Chine par Toppan Printing Co., (Shenzen) Ltd

Poissons gras, riches en acides gras essentiels

# SOMMAIRE

Aliments pour un régime végétarien

# LES RÉSEAUX ALIMENTAIRES

Le cycle de l'énergie qui se transmet du Soleil aux plantes, puis aux animaux herbivores et enfin aux carnivores, s'appelle la chaîne alimentaire. À la base figurent les producteurs primaires : plantes vertes ainsi que certaines bactéries et algues. Par leur activité, celles-ci captent l'énergie solaire pour fabriquer de la nourriture qu'elles stockent dans leurs cellules. Viennent ensuite les animaux herbivores, ou consommateurs primaires : ils mangent les végétaux pour y puiser l'énergie nécessaire à leur survie. Les herbivores sont dévorés à leur tour par les carnivores, qui sont les consommateurs secondaires de la chaîne alimentaire. Dans la nature, toutefois, les êtres vivants font partie de plusieurs chaînes alimentaires et consomment plus d'une catégorie d'aliments. C'est pourquoi nous utilisons le terme de « réseaux alimentaires » qui évoque mieux les interdépendances complexes existant entre les êtres vivants.

**LE GRAND DISPENSATEUR**
A quelques exceptions près, toute l'énergie de la vie provient du Soleil. Cet astre en inonde la Terre sous la forme de rayons lumineux. Les végétaux verts et certaines bactéries ont la capacité d'élaborer leur nourriture à partir de la lumière solaire, du gaz carbonique et de l'eau : ce processus s'appelle la photosynthèse.

**UNE PYRAMIDE D'ÉNERGIE**
Les chaînes alimentaires ont une structure pyramidale, présentant de nombreuses plantes à la base et seulement quelques carnivores au sommet. Ceci est dû au fait que les êtres vivants dissipent une part de leur énergie pour assurer le fonctionnement de leur organisme. Chaque fois que l'on s'élève d'un étage, une partie de l'énergie est perdue de cette manière. Les animaux qui occupent cet étage sont donc moins nombreux qu'à l'étage inférieur. De fait, une chaîne alimentaire ne peut présenter plus de quatre ou cinq maillons car il ne resterait pas suffisamment de nourriture pour les animaux situés tout en haut de la pyramide.

*En mangeant un lapin, le renard s'approprie l'énergie stockée dans les cellules de sa proie.*

*Les lapins mangent de l'herbe pour les réserves en glucose qu'elle contient.*

**L'HOMME**
Comme les animaux, l'homme est consommateur dans un réseau alimentaire. Il appartient à la catégorie des omnivores, qui tirent leur énergie à la fois des plantes et des animaux.

*Les plantes vertes fabriquent et stockent du glucose, qui est un glucide (sucre).*

## INTERDÉPENDANCES ALIMENTAIRES

La plupart des animaux font partie de plusieurs chaînes alimentaires en interconnexion, qui forment un réseau alimentaire. Cette page illustre de façon simplifiée comment plantes et animaux se nourrissent les uns des autres dans un écosystème de lac forestier (les flèches vont du consommateur vers la source de nourriture). Dans un réseau alimentaire, l'équilibre de la faune et de la flore est crucial. Si l'une des populations composant le réseau prolifère ou se raréfie, cela a un impact sur les autres populations.

## LE SERPENT

Grâce à des articulations souples, le serpent ouvre démesurément ses mâchoires pour avaler les grenouilles tout entières. C'est un consommateur secondaire dans ce réseau alimentaire particulier.

## L'AIGLE

Cet oiseau est un prédateur redoutable pour attraper ses proies : serpent, salamandre ou truite sont tous au menu. Les rapaces sont des consommateurs secondaires dans le réseau alimentaire.

## LA SALAMANDRE

La salamandre (ici un têtard) se nourrit d'insectes. C'est un consommateur secondaire.

## LA TRUITE

Ce poisson mange du phytoplancton et des insectes. C'est un consommateur primaire dans le réseau alimentaire.

## LES INSECTES

De nombreux insectes consomment le phytoplancton. Ce sont des consommateurs primaires dans le réseau alimentaire.

## LA GRENOUILLE

Elle mange des insectes, ce qui en fait un autre consommateur secondaire du réseau alimentaire.

## LE PHYTOPLANCTON

Grâce à la lumière solaire, au gaz carbonique et à l'eau, le phytoplancton (à gauche), constitué de petits organismes végétaux verts, fabrique du glucose et d'autres molécules que les animaux peuvent manger. C'est un producteur primaire.

## LES DÉCOMPOSEURS

Agissant en marge des réseaux alimentaires, les décomposeurs sont constitués par les bactéries, champignons, asticots, vers, insectes scatophages, etc. Ils consomment les déchets rejetés par les êtres vivants ainsi que les cadavres des plantes et des animaux pour en extraire l'énergie qu'ils renferment encore. Sans eux, la Terre serait jonchée de détritus naturels.

# QU'EST-CE QUE LA NOURRITURE ?

Primordiale, la nourriture fournit l'énergie indispensable à la vie, c'est-à-dire le carburant qui nous permet de bouger et de conserver notre chaleur. Elle apporte également les éléments essentiels dont nous avons besoin pour construire, réparer et entretenir nos tissus et nos organes et pour nous maintenir en bonne santé. Les substances des aliments remplissant ce rôle s'appellent les nutriments, et se répartissent en deux grandes catégories : les macronutriments (glucides, protéines et lipides), qui constituent la base de la nutrition, et les micronutriments (vitamines et minéraux). S'il est nécessaire de consommer tous les jours une grande quantité de macronutriments, les doses requises en micronutriments sont bien moins importantes, quoique tout aussi indispensables. L'eau n'est pas considérée comme un nutriment mais, élément fondamental de toute nourriture, elle est essentielle à la vie.

*Le pain fournit des glucides.*

*La viande est source de protéines.*

*Une image infrarouge montre la chaleur générée par l'énergie dans les aliments.*

### LE CORPS HUMAIN
C'est à partir de la nourriture que l'organisme fabrique la matière composant chaque cellule du corps humain (à part les cellules formées avant la naissance). Les enfants ont besoin de grandes quantités de nutriments car ils grandissent très vite : un bébé peut voir son poids multiplié par trois au cours de sa première année.

### UNE SOURCE D'ÉNERGIE
Les aliments nous fournissent l'énergie dont nous avons besoin pour vivre. Notre corps brûle en permanence un mélange de macronutriments pour produire l'énergie qui nous permet d'être actifs. Même lorsque nous nous reposons, il nous faut de l'énergie pour que nos poumons fonctionnent, que notre cœur batte et que les autres activités vitales s'accomplissent.

*Les œufs sont source de protéines pour les végétariens.*

*Les bananes contiennent du potassium, un minéral.*

### NOTRE ALIMENTATION QUOTIDIENNE
Pour être en bonne santé, nous devons avoir un régime alimentaire équilibré comprenant des glucides, des protéines (ou protides) et des lipides en quantité suffisante mais non excessive. Ils constituent la principale source d'énergie pour le fonctionnement du corps et l'activité musculaire. Une grande variété de produits frais, fruits et légumes en particulier, permet l'apport en vitamines et en sels minéraux qui sont, par ailleurs, indispensables à la santé. Il se peut également que d'autres nutriments non encore découverts y soient présents.

*Les fruits secs sont riches en vitamines et en sels minéraux.*

*Les noix apportent de la vitamine E.*

## L'EAU, C'EST LA VIE !

Nous pouvons survivre plusieurs semaines sans manger mais seulement quelques jours sans boire. Principal composant du sang, l'eau contribue également à l'élimination des déchets de l'organisme. Nous devons boire fréquemment car nous perdons sans cesse de l'eau : quand nous urinons, transpirons ou expirons par exemple. En moyenne, un adulte a besoin d'un litre à un litre et demi de liquide par jour.

## LA FIBRE DE SON

Le son fait partie des aliments riches en fibres alimentaires, ces constituants des plantes qui ne se digèrent pas. Au sens strict du terme, les fibres ne sont donc pas des nutriments mais elles jouent néanmoins un rôle dans la santé.

*Les légumes secs sont une bonne source végétale de fer.*

Vitamine C vue au microscope

## LES VITAMINES ET LES MINÉRAUX

Notre organisme ne peut fabriquer toutes les vitamines dont il a besoin et nous devons donc les trouver dans notre alimentation. Celles-ci sont importantes pour le métabolisme. Les minéraux sont présents dans l'environnement mais l'organisme ne peut pas non plus les produire. Il nous faut donc consommer des végétaux et de la viande qui ont assimilé ces minéraux.

*Les légumes verts renferment une grande quantité de vitamines et de minéraux.*

## UNE NUTRITION CORRECTE

Dans les zones affectées par les catastrophes naturelles, la pauvreté ou la guerre, il devient souvent difficile de trouver de quoi assurer les besoins essentiels en nourriture, ce qui induit des problèmes de santé. Les programmes d'aide alimentaire existent afin d'aider les populations, comme ces jeunes Angolais, à pourvoir à leurs besoins nutritionnels fondamentaux.

*Le poisson fournit des acides gras essentiels.*

# LES CALORIES, LA MESURE DE L'ÉNERGIE

La quantité d'énergie potentielle contenue par un aliment se mesure en calories. Cette quantité est variable selon le type de produit. Par exemple, un gramme de glucides (sucres) ou de protides (protéines) contient quatre kilocalories ; un gramme de lipides (graisses) en contient neuf. Nous avons tous besoin d'absorber une certaine quantité de calories par jour pour nous procurer l'énergie indispensable à notre organisme. Mais le nombre de calories quotidiennes nécessaires à un individu est fonction de sa taille, son poids, son âge, son sexe et son activité physique. En général, à l'âge adulte, l'apport calorique quotidien est de 2 500 kilocalories pour un homme et 2 000 pour une femme (les jeunes enfants en consomment moins).

**ANTOINE LAVOISIER (1743–1794)**
Père de la chimie moderne, Lavoisier a étudié le rôle de l'oxygène dans la respiration animale. Ce scientifique élabora la théorie selon laquelle la chaleur était constituée d'une substance qu'il qualifiait de « calorique » pouvant se transmettre d'un élément à un autre, mais que l'on ne pouvait ni créer, ni détruire.

*Thermomètres*

Calorimètre à gaz de la fin du XIXᵉ siècle

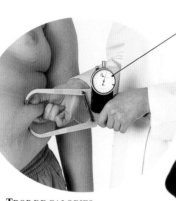

*Un compas mesure le tissu adipeux.*

*Cuve dans laquelle étaient brûlés les aliments*

*Tube d'évacuation du gaz*

## TROP DE CALORIES
C'est notre métabolisme, c'est-à-dire l'ensemble des processus chimiques à l'œuvre dans notre organisme, qui brûle les calories que nous absorbons chaque jour. Si nous consommons plus de calories que nous ne pouvons en brûler, l'excédent est stocké sous forme de tissu adipeux (graisse). Par exemple, si nous ingérons 3 500 calories de plus que nécessaire, notre corps fabriquera et stockera 500 grammes de graisse. Or, le surpoids met notre santé en danger.

## LA MESURE DE LA VALEUR ÉNERGÉTIQUE DES ALIMENTS
Le calorimètre est un objet servant à mesurer les calories contenues dans un aliment. Il comprend un récipient fermé en métal emboîté dans un autre récipient rempli avec de l'eau à une certaine température. On brûle l'aliment dans le récipient en métal et la chaleur se transmet à l'eau. On mesure ensuite le changement de température de l'eau pour déterminer une valeur calorique.

## POUR DÉPENSER NOS CALORIES
L'activité physique brûle des calories. C'est la raison pour laquelle il est important de faire de l'exercice. Une activité légère consommera moins de calories que des efforts soutenus. La course à pied, par exemple, permet de consommer plus de 300 calories en 30 minutes.

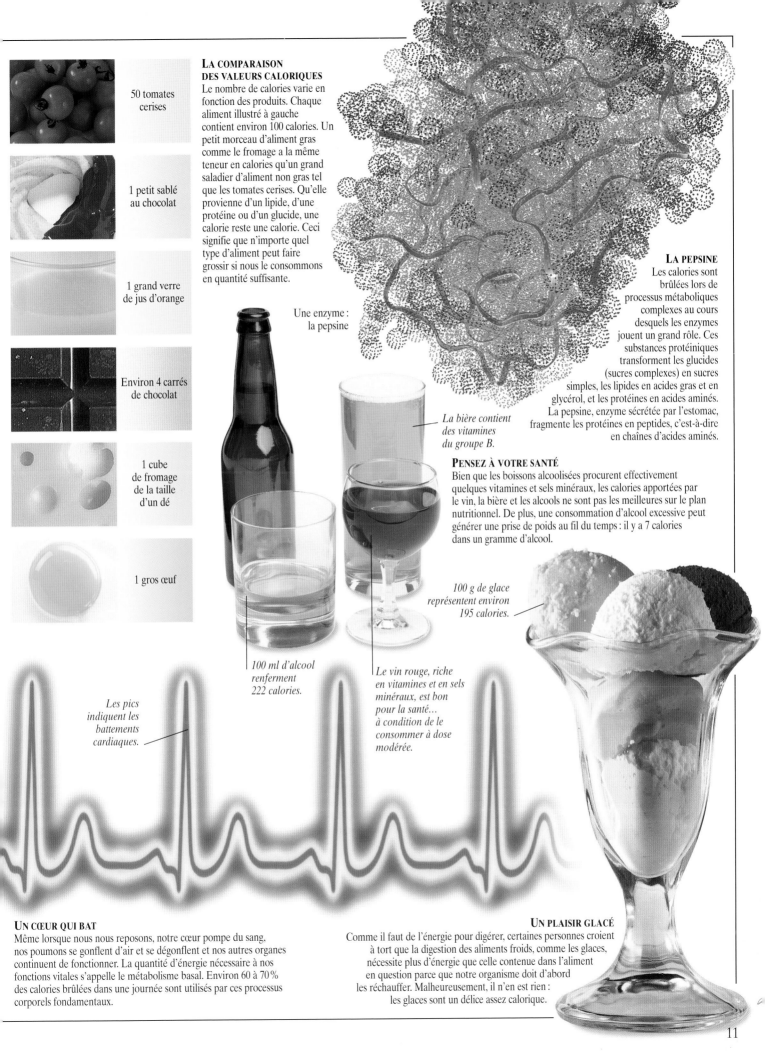

50 tomates cerises

1 petit sablé au chocolat

1 grand verre de jus d'orange

Environ 4 carrés de chocolat

1 cube de fromage de la taille d'un dé

1 gros œuf

## LA COMPARAISON DES VALEURS CALORIQUES

Le nombre de calories varie en fonction des produits. Chaque aliment illustré à gauche contient environ 100 calories. Un petit morceau d'aliment gras comme le fromage a la même teneur en calories qu'un grand saladier d'aliment non gras tel que les tomates cerises. Qu'elle provienne d'un lipide, d'une protéine ou d'un glucide, une calorie reste une calorie. Ceci signifie que n'importe quel type d'aliment peut faire grossir si nous le consommons en quantité suffisante.

Une enzyme : la pepsine

La bière contient des vitamines du groupe B.

## LA PEPSINE

Les calories sont brûlées lors de processus métaboliques complexes au cours desquels les enzymes jouent un grand rôle. Ces substances protéiniques transforment les glucides (sucres complexes) en sucres simples, les lipides en acides gras et en glycérol, et les protéines en acides aminés. La pepsine, enzyme sécrétée par l'estomac, fragmente les protéines en peptides, c'est-à-dire en chaînes d'acides aminés.

## PENSEZ À VOTRE SANTÉ

Bien que les boissons alcoolisées procurent effectivement quelques vitamines et sels minéraux, les calories apportées par le vin, la bière et les alcools ne sont pas les meilleures sur le plan nutritionnel. De plus, une consommation d'alcool excessive peut générer une prise de poids au fil du temps : il y a 7 calories dans un gramme d'alcool.

100 g de glace représentent environ 195 calories.

100 ml d'alcool renferment 222 calories.

Le vin rouge, riche en vitamines et en sels minéraux, est bon pour la santé... à condition de le consommer à dose modérée.

Les pics indiquent les battements cardiaques.

## UN CŒUR QUI BAT

Même lorsque nous nous reposons, notre cœur pompe du sang, nos poumons se gonflent d'air et se dégonflent et nos autres organes continuent de fonctionner. La quantité d'énergie nécessaire à nos fonctions vitales s'appelle le métabolisme basal. Environ 60 à 70 % des calories brûlées dans une journée sont utilisés par ces processus corporels fondamentaux.

## UN PLAISIR GLACÉ

Comme il faut de l'énergie pour digérer, certaines personnes croient à tort que la digestion des aliments froids, comme les glaces, nécessite plus d'énergie que celle contenue dans l'aliment en question parce que notre organisme doit d'abord les réchauffer. Malheureusement, il n'en est rien : les glaces sont un délice assez calorique.

# LA PYRAMIDE ALIMENTAIRE

La pyramide alimentaire donne des indications en matière diététique et permet d'adopter une alimentation saine. Celle qui est illustrée ici a été proposée aux États-Unis en 1992 dans le but de réduire le taux de maladies cardiovasculaires et d'accidents vasculaires cérébraux. Ce modèle facile à comprendre décrit les produits alimentaires ainsi que les quantités à consommer afin de couvrir les besoins nutritionnels humains tout en évitant l'excès de calories, de lipides, de sucres, de cholestérol, de sodium et d'alcool. En suivant ces directives, on réduit le risque de contracter certaines maladies et l'on constatera, sur le long terme, que la santé s'améliore. D'autres pays ont émis des recommandations alimentaires semblables avec des proportions identiques.

### UN GUIDE DU BIEN MANGER

La pyramide ne constitue pas une liste immuable d'aliments à consommer tous les jours. Il s'agit plutôt d'un guide permettant de choisir un régime sain. Son examen montre que l'essentiel de notre alimentation quotidienne doit être basé sur les groupes alimentaires des trois étages inférieurs, les produits situés tout en haut devant être consommés avec modération. On peut également en déduire qu'il est nécessaire d'absorber plus de végétaux que de produits animaux.

### LES GROUPES ALIMENTAIRES DE BASE

Avant l'adoption de la pyramide alimentaire, les nutritionnistes recommandaient déjà de consommer certaines quantités d'aliments appartenant aux groupes alimentaires de base, comme on le voit ci-dessus mais leurs conseils n'étaient pas aussi bien présentés et faciles à comprendre. Par ailleurs, la nécessité de limiter l'apport total en lipides et en graisses saturées n'était pas prise en compte.

*Les pommes de terre sont une bonne source de glucides complexes.*

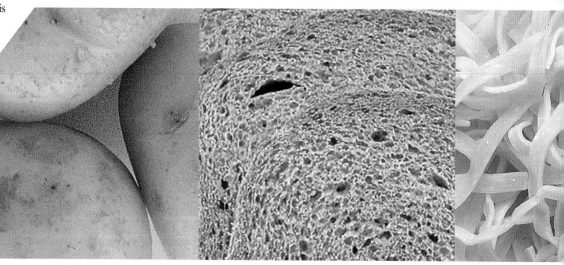

## GRAISSES, HUILES ET SUCRES

Les aliments situés tout en haut de la pyramide – sucreries et produits riches en graisses et en huiles – fournissent une grande quantité de calories mais ont un intérêt nutritionnel très limité. Il faut les consommer avec une grande modération.

*Huile d'olive*

*Salade végétale composée*

*Tomates mûres*

## LE RÉGIME MÉDITERRANÉEN

Des études scientifiques ont prouvé que les habitants des pays méditerranéens jouissent d'une bonne santé, souffrent relativement peu de maladies chroniques et vivent longtemps. Ceci est peut-être dû à leur régime alimentaire riche en végétaux : fruits et légumes mais aussi pâtes et féculents. Le poisson et la volaille sont préférés aux viandes rouges et la plupart des aliments sont peu cuits et assaisonnés simplement.

*Le riz cuit à la vapeur est une denrée de base.*

## VIANDE, POISSON, ŒUFS, LÉGUMES SECS ET FRUITS OLÉAGINEUX

Il est recommandé de consommer 2 à 3 portions de ce groupe alimentaire par jour. Ces aliments apportent protéines, calcium, fer et zinc. Les meilleures viandes sur le plan de la santé sont celles qui sont pauvres en graisses saturées.

## PRODUITS LAITIERS

Ce groupe comprend le lait, le yaourt et le fromage et il faut en consommer 3 à 4 portions par jour. Pour la santé, il vaut mieux choisir du lait écrémé ou demi-écrémé ainsi que des fromages et des yaourts allégés.

*Légumes frais*

## LE RÉGIME ASIATIQUE

Plusieurs études indiquent que les personnes ayant un régime alimentaire asiatique traditionnel sont moins susceptibles de souffrir de maladies chroniques que les Occidentaux. Dans ce régime, la majeure partie des calories provient également des végétaux et surtout du riz, denrée de base en Asie. La viande est consommée en très petite quantité.

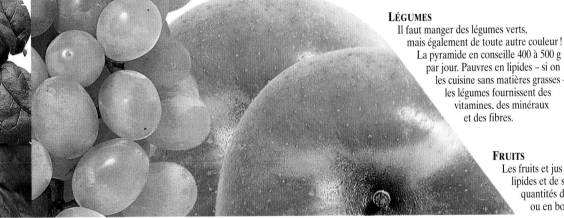

## LÉGUMES

Il faut manger des légumes verts, mais également de toute autre couleur ! La pyramide en conseille 400 à 500 g par jour. Pauvres en lipides – si on les cuisine sans matières grasses –, les légumes fournissent des vitamines, des minéraux et des fibres.

## FRUITS

Les fruits et jus de fruit frais contiennent peu de lipides et de sodium et apportent de grandes quantités de vitamines. Il faut en manger ou en boire 2 à 3 fruits par jour.

## PAIN, CÉRÉALES, RIZ ET PÂTES

Ces aliments sont importants car ils fournissent des glucides complexes, source énergétique appréciable. Nous devons en consommer à chaque repas. Il est également préférable de choisir des céréales, des pâtes et du pain complets pour leur apport en fibres.

# CHOISIR UNE ALIMENTATION SAINE

Nous sommes ce que nous mangeons, alors pourquoi ne pas manger ce qu'il y a de meilleur ? Les experts s'accordent à dire qu'il nous faut une certaine quantité de calories par jour mais sans excès et que celles-ci devraient surtout provenir de glucides complexes tels que le pain, le riz ou les pommes de terre. Ces aliments pauvres en lipides apportent vitamines et minéraux. Il convient également d'être sélectif en matière de protéines, en préférant les aliments peu gras comme les viandes maigres, poissons et volailles aux morceaux de viande plus riches en graisse et aux produits laitiers entiers. Les fruits et les légumes sont source de vitamines et de minéraux : il faudrait en consommer au moins cinq portions par jour. Il est bon également de se débarrasser des mauvaises habitudes que sont la consommation excessive de sel, de sucre et d'alcool.

## DES GOÛTERS PEU CALORIQUES

Les petits goûters évitent les « coups de pompe » et éventuellement aussi de trop manger à l'heure des repas. Privilégiez les produits pauvres en lipides, en sel et sucres, comme les fruits, qui réduisent le risque de maladie cardiovasculaire tout en maintenant le poids de forme.

*Le saumon apporte de bonnes graisses.*

*Les pommes de terre sont riches en glucides complexes.*

*Les haricots mange-tout contiennent de la vitamine C.*

## VIVE L'EXERCICE !

Pour équilibrer notre poids, il est indispensable d'avoir une activité physique en contrepartie de notre alimentation. Un poids raisonnable permet d'éviter les problèmes d'hypertension, les maladies cardiovasculaires, les attaques cérébrales, certains cancers et la forme la plus courante de diabète. Plus nous sommes actifs, plus nous pouvons manger !

## ÉQUILIBREZ VOTRE ASSIETTE

Un repas sain est un repas dont les nutriments sont équilibrés. Par exemple, cette assiette de saumon grillé servi avec des haricots mange-tout et des pommes de terre nouvelles apporte des protéines de qualité (saumon) ainsi que des glucides complexes (pommes de terre), des fibres, des vitamines et des minéraux (haricots). Des repas équilibrés complétés par de petits goûters sains favorisent la stabilité du taux de glucose dans le sang.

*Les fruits sont essentiels dans un régime équilibré et sain.*

*Les pâtes sont pauvres en graisses et constituent un repas nourrissant.*

*Le lait écrémé ou demi-écrémé est plus sain que le lait entier.*

## UNE ALIMENTATION VARIÉE

Adopter des habitudes alimentaires saines et choisir de consommer une grande variété d'aliments sont plus faciles qu'on ne croit. La plupart des supermarchés et boutiques de quartier sont bien approvisionnés en fruits et légumes frais, en produits laitiers, en pain, en viande et en poisson. Les nutritionnistes encouragent les personnes faisant leurs courses à remplir d'abord leur panier d'aliments frais avant d'acheter des produits transformés.

*Les fruits sont riches en éléments nutritifs comme la vitamine C.*

*Il faut éviter de trop saler lorsque l'on cuisine.*

### EXCÈS DE SEL

Le régime alimentaire occidental contient beaucoup trop de sodium, ce qui favorise l'hypertension artérielle. Le sel de table est une source de sodium, mais 75 % du sel que nous ingérons proviennent des produits transformés. Parmi ces derniers, les nutritionnistes conseillent de choisir ceux qui ont une teneur réduite en sel.

### RÉDUISONS LE SUCRE

Le sucre apporte ce que les nutritionnistes appellent des « calories vides », c'est-à-dire sans autres nutriments tels que vitamines et minéraux. Nombreuses sont les personnes qui consomment trop de sucre. Et les aliments riches en sucre, tels que les gâteaux et biscuits, sont en général également riches en graisses. Si l'on veut grignoter, préférons les raisins secs qui sont plus sains que les bonbons.

Sucre en morceaux

### L'ALCOOL EST BON...
### À PETITE DOSE

Plusieurs études démontrent que les personnes buvant modérément de l'alcool vivent plus longtemps que celles qui s'en abstiennent totalement. Plus récemment, on s'est aperçu qu'un à deux verres par jour peut réduire jusqu'à 30 % le risque de maladie cardiovasculaire. Il est néanmoins avéré que de trop grandes quantités d'alcool génèrent des problèmes graves. Certains types de cancer, comme le cancer du foie, sont plus fréquents chez les grands buveurs.

### FRAIS ET DE SAISON

Les végétaux frais, de saison et récoltés localement sont plus riches en nutriments que ceux qui ont parcouru des milliers de kilomètres depuis leur lieu de production. Excellents pour la santé, les fruits fraîchement cueillis sont riches en vitamines et en principes actifs. Si nous n'avons pas la possibilité de cueillir des fruits sur l'arbre, nous pouvons acheter des aliments qui ne sont pas transformés ou très peu. Les produits tout préparés doivent être évités dans la mesure du possible en raison de leur haute teneur en sel, en sucre et en lipides.

Lentilles

## LES GLUCIDES COMPLEXES

Lentilles, riz, haricots secs sont d'excellentes sources de glucides (ou sucres) complexes. A cause de la complexité de leurs molécules, ils sont longs à digérer. C'est pourquoi on les qualifie aussi de « sucres lents ». En contrepartie, ils fournissent du glucose en grande quantité. Ils sont donc très nourrissants et figurent à la base de nombreux plats sur tous les continents.

Riz

Haricots secs

Pain complet

Blé

Pains à base de farine de blé blanche

# LES GLUCIDES, POURVOYEURS D'ÉNERGIE

Principale source d'énergie de l'organisme, les glucides (ou sucres) sont constitués d'un assemblage de molécules de glucose, l'un de leurs composants de base. Certains glucides, comme l'amidon, sont formés de chaînes de glucose longues et complexes. On les trouve dans des végétaux tels que les pommes de terre, les graines de céréales et de féculents. D'autres ont des molécules beaucoup plus simples ne comptant que quelques unités de glucose : ce sont les sucres « rapides ». Ils sont présents dans le miel, les fruits, le lait ainsi que dans les produits transformés comme les bonbons, les gâteaux et biscuits, etc. Lors de la digestion, tous les glucides sont dégradés en glucose, seul carburant utilisable par l'organisme.

## RÉCOLTES ANTIQUES

Depuis que l'homme a commencé à cultiver des céréales il y a 10 000 ans, les glucides constituent une part importante de son alimentation. Nous savons que dans l'Egypte ancienne, on cultivait le blé et l'orge sur les rives fertiles du Nil et que les grains récoltés étaient transformés en pain, en soupe et en bière.

## LES PÂTES

Comme le pain, les pâtes sont faites à base de farine de blé. Selon la proportion de balle présente dans la farine utilisée pour leur fabrication, elles sont complètes ou raffinées. On en trouve de toutes les formes : allongées, torsadées, aplaties, en coquille, etc. On les accompagne souvent de sauce à la viande ou aux légumes pour constituer un repas nourrissant riche en glucides.

## NOTRE PAIN QUOTIDIEN

L'une des principales sources de glucides est le pain, qui est fabriqué à partir du blé et d'autres céréales. Si l'on n'enlève pas la balle (c'est-à-dire l'enveloppe dure du grain) avant de moudre le grain en farine, on obtiendra du pain complet. Les pains blancs sont moins nourrissants car ils sont à base de farine blanche raffinée, dont la balle a été éliminée avant mouture.

*Grains d'amidon*

### LES GRAINS D'AMIDON

L'amidon est présent dans les plantes sous forme de grains. La taille et la forme de ceux-ci varient selon l'espèce. L'amidon cru est très indigeste mais lorsqu'il est cuit, les grains gonflent et se ramollissent. C'est la raison pour laquelle les pâtes, le riz et les pommes de terre ne sont consommables qu'une fois cuits dans l'eau.

Tranche de pomme de terre vue au microscope

Pommes de terre

Igname

Patate douce

### QUAND LE TAUX DE SUCRE MONTE EN FLÈCHE

Les glucides présents dans le chocolat et les sodas sont des sucres simples, dits « rapides ». L'organisme les digère vite, produisant une élévation subite du taux de glucose dans le sang. Les nutritionnistes pensent aujourd'hui que cela est néfaste pour la santé. C'est la raison pour laquelle il est conseillé de limiter le grignotage de sucreries.

Cristaux de glucose vus à fort grossissement

### DÉCOUVREZ VOS RACINES

Certains végétaux stockent l'amidon sous la terre dans des tubercules, qui sont des excroissances de leur système racinaire. Les pommes de terre, les patates douces et les ignames sont des tubercules. Source de glucides complexes, ils contiennent aussi de la vitamine C. Selon leur mode de cuisson, leur amidon est dégradé en glucose plus ou moins rapidement dans l'organisme. Ainsi, les pommes de terre cuites au four se dégradent en glucose plus rapidement que celles qui sont bouillies, délivrant plus rapidement leur énergie.

### DES RÉSERVES DE GLUCOSE

Après l'absorption de glucides, le glucose parvient dans les cellules pour y être brûlé et produire de l'énergie. Notre organisme renferme généralement en permanence assez de glucose pour disposer d'une réserve d'une heure d'énergie. Le glucose en excès est transformé en glycogène (un autre glucide) qui est stocké dans le foie et les muscles et libéré en fonction des besoins.

### LA FAMINE EN IRLANDE

De 1845 à 1849, en Irlande, une attaque de mildiou dévasta les récoltes de pommes de terre. Or, c'est sur celles-ci que reposait l'essentiel de l'alimentation de la population et du bétail. Il s'ensuivit une famine désastreuse pour les paysans. Si les glucides doivent constituer 50 % de notre régime alimentaire quotidien, il est indispensable de diversifier les aliments qui nous les apportent.

### UNE ALIMENTATION ADAPTÉE À L'ENDURANCE

Les coureurs cyclistes adoptent un régime composé à 70 % de glucides. Ils consomment énormément de sucres complexes qui libèrent leur énergie de façon progressive, leur permettant de soutenir l'effort nécessaire à plusieurs heures de course.

# LES FIBRES ALIMENTAIRES

Les fibres alimentaires sont un vaste groupe de composés présents dans les fruits et les légumes. Certains types de fibres ne sont pas digérés par les enzymes du système digestif et traversent le corps sans transformation, jouant tout de même un rôle important pour la santé. Un régime comportant une part importante de fibres peut permettre un contrôle du poids car celles-ci remplissent l'estomac, laissant moins de place aux produits gras et très caloriques. C'est à la fin des années 1960 que les scientifiques découvrirent qu'une alimentation riche en fibres réduisait les risques de maladies chroniques. Un telle alimentation est également bénéfique au fonctionnement intestinal et prévient la constipation.

### HIPPOCRATE
Bien que le terme de « fibres » ne soit utilisé que depuis les années 1950, leurs mérites sont discutés depuis longtemps. Hippocrate, le médecin grec de l'Antiquité considéré comme le père de la médecine, recommandait déjà, en 430 av. J.-C. de faire du pain à haute teneur en fibres en raison de leur effet bénéfique sur le conduit intestinal.

### DES ORGANISMES ADAPTÉS
Les hippopotames, comme les autres animaux herbivores, possèdent, dans leur tube digestif, des bactéries qui transforment les fibres végétales en glucose, c'est-à-dire en sucre assimilable. L'homme, quant à lui, en est dépourvu.

*Lentilles*

*Pois chiches*

### LES ALIMENTS RICHES EN FIBRES
Tous les aliments végétaux ou d'origine végétale ne renferment pas les mêmes types de fibres. Celles contenues dans les pommes, par exemple, sont différentes de celles des pâtes. Leur quantité varie également d'une plante à l'autre et les bénéfices diffèrent aussi d'un type de fibre à l'autre. C'est la raison pour laquelle il faut manger une gamme variée d'aliments végétaux : céréales complètes, fruits, légumes frais et légumes secs. Il est en fait recommandé d'absorber 18 g de fibres par jour.

*Céréales complètes*

Fibres solubles

*Haricots cornille*

Fibres insolubles

### FIBRES SOLUBLES ET INSOLUBLES
Les fibres se répartissent en deux grands groupes. Les fibres insolubles, d'une part, agissent comme une éponge en retenant l'eau et en augmentant ainsi le volume des matières transitant dans l'intestin. Les fibres solubles, d'autre part, abaissent le taux de cholestérol dans le sang, réduisant de ce fait le risque de maladies cardiovasculaires, et permettent de contrôler le taux de glucose sanguin en ralentissant les aliments qui quittent l'estomac.

*Les pâtes complètes contiennent plus de fibres que les pâtes « blanches ».*

*La cellulose entoure la membrane des cellules végétales.*

*Le pain blanc contient 1,5 g de fibres pour 100 g.*

## LE PAIN COMPLET

La consommation de produits complets – pain, céréales, pâtes complètes et riz brun – permet un apport quotidien en fibres. Mais tous les pains « non blancs » n'ont pas nécessairement une forte teneur en fibres car ils peuvent être fabriqués avec un mélange, moins riche en fibres, de farine blanche et de farine complète. Lisez bien les étiquettes ou bien renseignez-vous auprès de votre boulanger.

*Mangez les pommes sans les peler pour consommer plus de fibres.*

## POURQUOI LES VÉGÉTAUX CONTIENNENT-ILS DES FIBRES ?

Les fibres sont les composés qui contribuent à donner aux plantes leur forme et leur structure. La catégorie la plus importante est la cellulose, constituée de longues chaînes de glucose. Elle enveloppe la membrane des cellules, leur procurant une paroi rigide. Les parties végétales riches en cellulose sont les tiges, les feuilles et les graines.

*Airelles fraîches*

## LES FRUITS RICHES EN PECTINE

La pectine est une fibre soluble que l'on trouve dans les fruits tels que les pommes, les airelles et les agrumes. C'est aussi la substance qui permet aux confitures de prendre. On a découvert que les fibres solubles diminuent le taux de cholestérol dans le sang. Les fibres se concentrent dans la peau et le cœur des fruits : il est donc conseillé de les consommer sans les peler.

*Le chou renferme plus de fibres cru que cuit.*

*Les tiges et les bouquets de brocoli sont d'excellentes sources de fibres.*

*Le pain complet contient 5,8 g de fibres pour 100 g.*

# LES LIPIDES, BONNES ET MAUVAISES GRAISSES

Consommés en trop grande quantité, les lipides, ou graisses, peuvent conduire à l'obésité et provoquer des problèmes de santé ; en petites quantités, ils sont indispensables. Ils apportent des vitamines et des acides gras essentiels que l'organisme ne peut fabriquer lui-même, ainsi qu'une réserve d'énergie dans laquelle le corps peut puiser en cas de besoin. Certaines graisses, par exemple, sont nécessaires au développement du cerveau et du système nerveux chez le bébé. Les lipides sont présents dans les produits animaux et végétaux, à l'état solide ou liquide. Les plus courants sont les acides gras, constitués de molécules contenant un nombre variable d'atomes d'hydrogène. C'est leur nombre exact qui détermine s'ils sont « saturés » ou « insaturés ». Les acides gras saturés doivent être consommés avec modération.

**LA MARGARINE**
La margarine, inventée en France, a d'abord été saluée comme un substitut du beurre, plus sain que celui-ci. Les experts s'accordent aujourd'hui à dire que le procédé de fabrication de certaines margarines – l'hydrogénation – crée un type de graisses néfaste à la santé car susceptible d'augmenter le taux de cholestérol.

Viande grasse

Gâteaux et biscuits

Beurre

**LES ACIDES GRAS SATURÉS**
Ils sont présents dans les graisses généralement solides à température ambiante, comprenant la plupart des graisses animales (beurre, fromage et morceaux de viande grasse) ainsi que les huiles de palme et de noix de coco. Un régime alimentaire sain limitera les graisses saturées et hydrogénées présentes dans certaines margarines, les graisses de cuisson, les gâteaux secs et toute la pâtisserie industrielle ainsi que la nourriture des fast-foods.

*Le poisson gras apporte des acides gras Oméga 3.*

**LES ACIDES GRAS MONO-INSATURÉS**
Les acides gras insaturés sont soit mono-insaturés, soit poly-insaturés. Les premiers sont présents dans les graisses liquides à température ambiante ; elles réduisent le taux de cholestérol lorsqu'elles remplacent les graisses saturées dans le régime alimentaire. On les trouve dans les huiles d'olive, d'arachide ainsi que dans les avocats, certains fruits oléagineux et certaines graines.

Graines de tournesol

**L'HUILE ET L'EAU**
Toutes les graisses, qu'elles soient liquides ou solides, sont insolubles – c'est-à-dire qu'elles ne se dissolvent pas – dans l'eau. Lors de la fabrication de la margarine et des assaisonnements industriels pour salades, qui associent eau et huile végétale, des émulsifiants sont ajoutés afin d'empêcher ces deux ingrédients de se séparer. C'est la lécithine, que l'on trouve dans les graines de soja, qui est souvent utilisée comme émulsifiant.

*Les olives sont pressées pour fabriquer l'huile.*

**LES ACIDES GRAS POLY-INSATURÉS**
Comme les mono-insaturés, les acides gras poly-insaturés sont présents dans des graisses liquides à température ambiante. Ces lipides contribuent à réduire le taux de cholestérol ou, au pire, sont sans effet sur lui. On les trouve dans le carthame, le colza, le maïs, le coton, les noix et le soja mais aussi dans les graines de tournesol et de sésame, les amandes, les noix de pécan et du Brésil. Ils évitent la formation des caillots qui sont à l'origine des accidents vasculaires cérébraux et réduisent le risque de maladie cardiovasculaire.

**LES ACIDES GRAS ESSENTIELS**
Les poissons gras sont très riches en acides gras essentiels : les Oméga 3. Ceux-ci interviennent dans la construction des membranes cellulaires, la régulation de la pression artérielle et de la coagulation et contribuent aussi à la bonne santé du système immunitaire.

Huile de tournesol

Graines de sésame

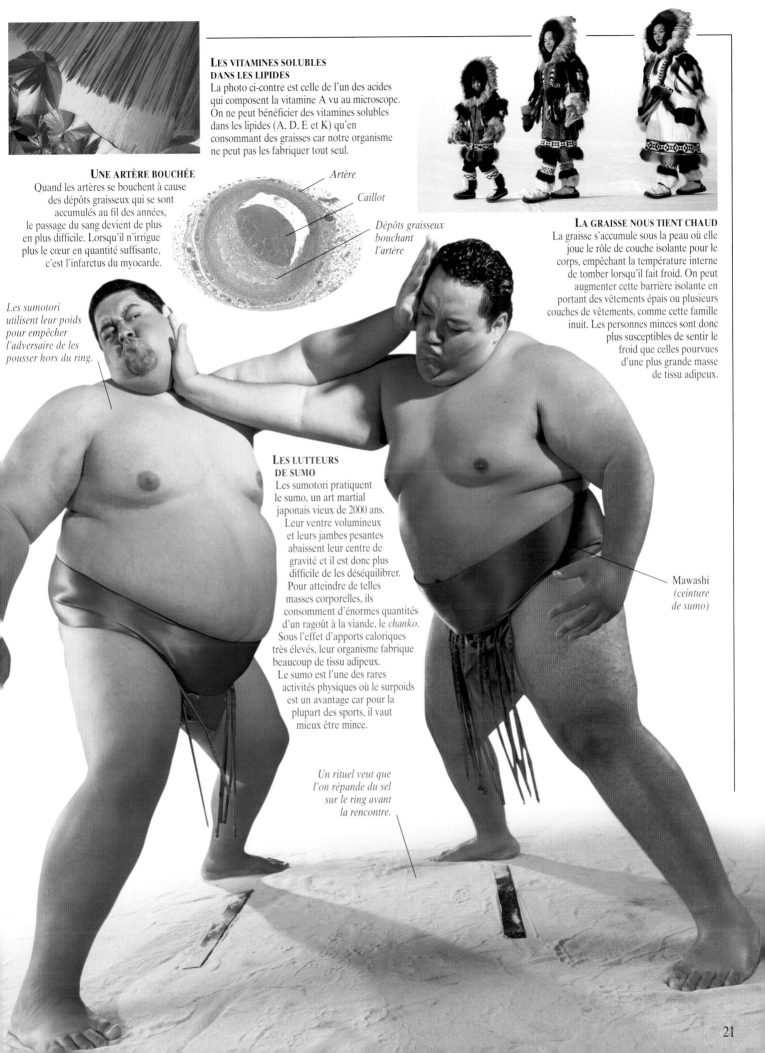

### LES VITAMINES SOLUBLES DANS LES LIPIDES

La photo ci-contre est celle de l'un des acides qui composent la vitamine A vu au microscope. On ne peut bénéficier des vitamines solubles dans les lipides (A, D, E et K) qu'en consommant des graisses car notre organisme ne peut pas les fabriquer tout seul.

### UNE ARTÈRE BOUCHÉE

Quand les artères se bouchent à cause des dépôts graisseux qui se sont accumulés au fil des années, le passage du sang devient de plus en plus difficile. Lorsqu'il n'irrigue plus le cœur en quantité suffisante, c'est l'infarctus du myocarde.

*Artère*

*Caillot*

*Dépôts graisseux bouchant l'artère*

### LA GRAISSE NOUS TIENT CHAUD

La graisse s'accumule sous la peau où elle joue le rôle de couche isolante pour le corps, empêchant la température interne de tomber lorsqu'il fait froid. On peut augmenter cette barrière isolante en portant des vêtements épais ou plusieurs couches de vêtements, comme cette famille inuit. Les personnes minces sont donc plus susceptibles de sentir le froid que celles pourvues d'une plus grande masse de tissu adipeux.

*Les sumotori utilisent leur poids pour empêcher l'adversaire de les pousser hors du ring.*

### LES LUTTEURS DE SUMO

Les sumotori pratiquent le sumo, un art martial japonais vieux de 2000 ans. Leur ventre volumineux et leurs jambes pesantes abaissent leur centre de gravité et il est donc plus difficile de les déséquilibrer. Pour atteindre de telles masses corporelles, ils consomment d'énormes quantités d'un ragoût à la viande, le *chanko*. Sous l'effet d'apports caloriques très élevés, leur organisme fabrique beaucoup de tissu adipeux. Le sumo est l'une des rares activités physiques où le surpoids est un avantage car pour la plupart des sports, il vaut mieux être mince.

Mawashi
*(ceinture de sumo)*

*Un rituel veut que l'on répande du sel sur le ring avant la rencontre.*

**L'ŒUF ET LA POULE**
On élève des poules depuis des millénaires pour leurs œufs, source appréciable de protéines. Un œuf moyen contient 7,2 g de protéines ainsi que des vitamines A, B et D, du zinc et du fer. Les personnes qui ne consomment pas de viande la remplacent par des œufs qui leur apportent les acides aminés essentiels dont elles ont besoin.

# LES PROTÉINES, LES BRIQUES DE LA VIE
Les cellules de notre corps ont besoin des protéines pour assurer leur croissance et leur entretien. Les protéines constituent le tissu conjonctif qui joue un rôle de soutien dans tout l'organisme. Elles composent aussi les anticorps qui nous protègent des maladies, les enzymes, les hormones, ainsi que les neurotransmetteurs essentiels au fonctionnement du cerveau. Les protéines sont composées de chaînes d'éléments chimiques appelés acides aminés. Bien qu'elles soient essentielles, il n'est pas utile d'en consommer de grandes quantités pour être en bonne santé : l'apport calorique journalier doit être constitué de 10 à 15 % de protéines.

**FRANÇOIS MAGENDIE (1783–1855)**
Ce physiologiste français fut le premier à observer que les mammifères ne peuvent pas survivre si on les prive de protéines. Il fut aussi parmi les premiers à identifier les trois principaux nutriments : protéines (ou protides), glucides et lipides.

*L'acide glutamique est un acide aminé présent dans les végétaux riches en protéines.*

**LES ACIDES AMINÉS**
22 acides aminés différents constituent les protéines du corps humain. Neuf d'entre eux sont essentiels : ils doivent être présents dans notre alimentation. Les treize autres peuvent être produits par l'organisme à partir de l'excédent d'autres acides aminés.

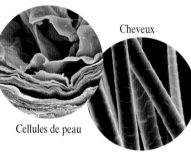

Cheveux

Cellules de peau

**PEAU SOUPLE ET BEAUX CHEVEUX**
Notre corps a besoin de protéines pour fabriquer la peau, les cheveux et les ongles. Le type de protéines que l'on trouve dans la peau (et le tissu conjonctif) est le collagène qui lui procure épaisseur et souplesse. La kératine est la protéine fibreuse qui donne aux cheveux et aux ongles leur force et leur structure.

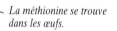
*La méthionine se trouve dans les œufs.*

**LA MASSE MUSCULAIRE**
Les protéines sont les éléments de construction du tissu musculaire. Les personnes faisant de la musculation ont besoin de consommer davantage de protéines que les autres, car le travail aux haltères, par exemple, crée dans les muscles de minuscules déchirures qui doivent ensuite être réparées. Cependant, il ne suffit pas d'absorber une douzaine d'œufs d'un seul coup pour avoir de beaux biceps ; il faut aussi une alimentation équilibrée et de qualité ainsi qu'un entraînement adapté.

*La lysine se trouve dans la viande et le poisson.*

*Développer ses muscles serait impossible sans protéines.*

## LES PROTÉINES COMPLÈTES

Les neuf acides aminés essentiels ne peuvent être fabriqués par le corps : nous devons nous les procurer par la nourriture. Les aliments qui les contiennent tous les neuf (la viande, le poisson, les œufs, les produits laitiers, le soja ) sont des protéines dites « complètes ». Dans les protéines incomplètes, présentes dans des aliments tels les légumes verts, céréales et légumes secs, certains acides aminés sont manquants ou présents en faibles quantités.

*Le fromage est une source de protéines convenant aux régimes végétariens.*

*Le blanc d'œuf est riche en protéines.*

*Le poisson est une excellente source de protéines et d'acides gras essentiels.*

*Le bœuf contient environ 20 % de protéines.*

*La volaille est une bonne source de protéines, moins riche en graisses que la viande rouge.*

*Thali indien végétarien*

### TROP DE PROTÉINES ?

Dans les pays développés, beaucoup de gens, même végétariens, consomment régulièrement deux fois plus de protéines qu'il ne leur en faut. Le corps ne transforme pas l'excédent en muscles mais le stocke sous forme de tissu adipeux, ce qui peut poser des problèmes de santé. Dans les pays en voie de développement, en revanche, c'est la carence en protéines qui génère des maladies.

*Le yaourt, protéines d'origine laitière*

*Les lentilles cuites contiennent environ 8 g de protéines pour 100 g.*

*Le riz associé aux lentilles constitue un apport complet en protéines.*

*Les légumes verts contiennent aussi certaines protéines.*

## LES PROTÉINES D'ORIGINE VÉGÉTALE

Les produits animaux ne sont pas les seules sources de protéines. Les noix, les légumes secs, les céréales et les légumes frais contiennent tous des protéines en proportions variables et, à la différence de certaines viandes, ils sont pauvres en graisses saturées. Mais parce que tous ne renferment pas les mêmes acides aminés, il est conseillé d'en consommer différentes sortes en vue d'un apport complet.

*Les pommes de terre contiennent environ 2 g de protéines pour 100 g.*

*Le pain blanc renferme environ 8 g de protéines pour 100 g.*

### ASSOCIONS LES PROTÉINES

Dans de nombreux pays du monde, la cuisine associe divers produits végétaux constituant de manière naturelle un apport protéinique complet. C'est le cas, par exemple du riz et des lentilles ou des haricots secs, de la purée de pois chiches avec du pain pitta, du tofu avec du riz ou des haricots sur du pain grillé.

*Les haricots rouges renferment environ 22 g de protéines pour 100 g.*

# INDISPENSABLES VITAMINES

Il ne nous en faut que quelques milligrammes par jour, mais elles sont absolument essentielles à la santé ! Les vitamines constituent un groupe de treize substances organiques dont notre corps a besoin pour réguler les fonctions cellulaires. La plupart sont fournies par notre alimentation. Elles ne produisent pas elles-mêmes d'énergie mais certaines participent activement au processus de transformation des aliments en énergie. On les a regroupées selon leur mode d'absorption et de stockage : les vitamines liposolubles d'une part, les hydrosolubles d'autre part. Les premières (vitamines A, D, E et K) sont stockées dans les tissus adipeux et le foie tandis que les secondes (vitamines du groupe B et vitamine C) traversent l'organisme rapidement et doivent être renouvelées souvent.

### POUR PRÉVENIR LE SCORBUT
Vers le milieu du XVIIIe siècle, l'Ecossais James Lind, chirurgien de la marine, découvrit que le jus de citron (riche en vitamine C) prévenait le scorbut. Cette maladie, alors répandue chez les marins, lors des longues traversées, était due à un régime alimentaire carencé en vitamine C. Bientôt, les navires ne quittèrent plus jamais un port sans embarquer une cargaison d'agrumes.

*Les légumes verts sont riches en bêta-carotène.*

*Le foie de veau est une bonne source de rétinol.*

Jaune d'œuf

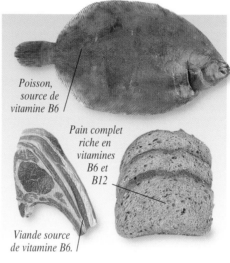

*Poisson, source de vitamine B6*

*Pain complet riche en vitamines B6 et B12*

*Viande source de vitamine B6.*

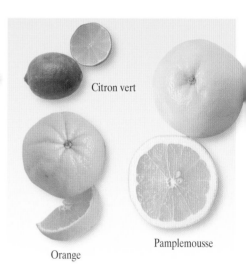

Citron vert

Orange

Pamplemousse

### LES ALIMENTS RICHES EN VITAMINE A
Cette vitamine liposoluble, également appelée rétinol, est essentielle pour une bonne vue. On la trouve dans les produits animaux tels que le foie, le saumon, les jaunes d'œufs et les produits laitiers enrichis de vitamines. Nous pouvons aussi transformer des substances végétales comme le carotène en rétinol. Le carotène est présent dans les fruits et légumes jaunes et orange ainsi que dans les légumes verts.

### LES ALIMENTS RICHES EN VITAMINE B
Les vitamines hydrosolubles du groupe B comprennent la biotine, l'acide folique, la niacine, la riboflavine, l'acide pantothénique, la thiamine, la vitamine B6 et la vitamine B12. Toutes les vitamines de ce groupe sont indispensables au métabolisme énergétique, depuis la digestion des aliments jusqu'à la production d'énergie. Nous en avons également besoin pour fabriquer les globules rouges et le matériel génétique : ARN et ADN.

### LES ALIMENTS RICHES EN VITAMINE C
La vitamine C, appelée aussi acide ascorbique, est une vitamine hydrosoluble qui est nécessaire pour élaborer le collagène, c'est-à-dire le tissu qui maintient la cohésion de nos cellules. Elle favorise également la cicatrisation des plaies et des brûlures, renforce la paroi des vaisseaux sanguins et contribue à la bonne santé des dents et des os. Les agrumes sont particulièrement riches en vitamine C.

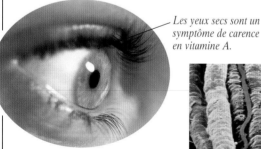

*Les yeux secs sont un symptôme de carence en vitamine A.*

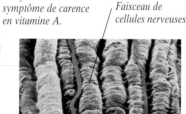

*Faisceau de cellules nerveuses*

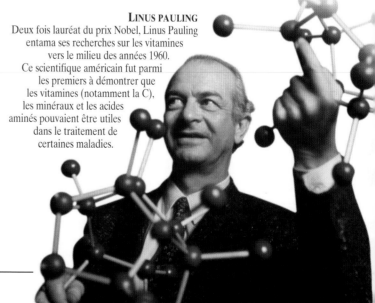

### LINUS PAULING
Deux fois lauréat du prix Nobel, Linus Pauling entama ses recherches sur les vitamines vers le milieu des années 1960. Ce scientifique américain fut parmi les premiers à démontrer que les vitamines (notamment la C), les minéraux et les acides aminés pouvaient être utiles dans le traitement de certaines maladies.

### UNE BONNE VUE
La vitamine A permet de voir par faible luminosité. Au fil des ans, une carence peut diminuer la vision dans la pénombre et même aboutir petit à petit à la cécité. La vitamine A favorise aussi la division et la croissance des cellules, contribue à la bonne santé de la peau, des cheveux et des ongles ainsi qu'à la solidité des os et des dents.

### BONNES POUR LES NERFS
Les vitamines B, comme la thiamine et la B6, jouent un rôle prépondérant dans le fonctionnement du système nerveux. La vitamine B12 est utile dans la production de myéline qui enveloppe les nerfs.

## UN BON BAIN DE SOLEIL

Nous fabriquons de la vitamine D lorsque notre peau est exposée aux rayons ultraviolets du Soleil (les UV). Les personnes qui sortent peu ou vivent dans des régions peu ensoleillées doivent trouver cette vitamine dans leur alimentation.

*Les multi-vitamines sont utiles aux personnes obligées de suivre un régime strict.*

*Les comprimés de vitamine C sont le complément vitaminé le plus utilisé.*

### LES COMPLÉMENTS ALIMENTAIRES

Des millions de personnes absorbent un comprimé de vitamines tous les jours parce qu'elles veulent être sûres d'avoir leur ration quotidienne. Des études ont montré que dans la plupart des cas, ceci n'est pas inutile mais aucun médicament ne peut remplacer une alimentation saine et variée.

*La lumière du Soleil agit sur une substance dans la peau qui fabrique de la vitamine D.*

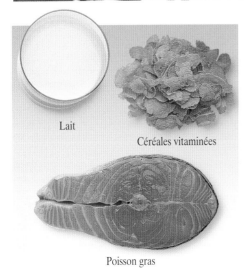

Lait

Céréales vitaminées

Poisson gras

Huiles végétales

Poulet

Fruits secs oléagineux et graines

Petits pois

Chou

### LES ALIMENTS RICHES EN VITAMINE D

La vitamine D existe sous deux formes. La première se trouve dans les céréales vitaminées, les jaunes d'œufs, le poisson gras et l'huile de foie de morue. La seconde est synthétisée par le corps lorsqu'il est exposé au Soleil. Cette vitamine est indispensable à l'absorption du calcium (c'est la raison pour laquelle on l'ajoute parfois à certains produits laitiers, déjà riches en calcium) et à la formation d'os et de dents solides.

### LES ALIMENTS RICHES EN VITAMINE E

Cette vitamine liposoluble intervient dans la fabrication des globules rouges et contribue à la bonne santé du tissu musculaire, protège les acides gras et empêche la destruction des vitamines A et D par l'oxydation résultant de l'exposition à l'oxygène. La vitamine E se trouve dans les huiles végétales, les œufs, la mayonnaise, les céréales vitaminées, les fruits secs oléagineux et les graines et, en moindre quantité, dans le poulet.

### LES ALIMENTS RICHES EN VITAMINE K

C'est une vitamine nécessaire à la coagulation du sang. Environ la moitié de la vitamine K présente dans notre organisme provient de notre alimentation. On la trouve en grande quantité dans les céréales et les légumes tels que les choux, les épinards, les petits pois, les brocolis et les asperges. L'autre moitié est fabriquée par les bactéries présentes dans l'intestin.

*L'alpha-tocophérol protège les membranes cellulaires.*

### DE LA VITAMINE K À LA NAISSANCE

Parce qu'une carence en vitamine K peut provoquer des saignements trop abondants même d'une petite plaie, on administre très souvent une dose de cette vitamine aux nouveau-nés dans le cadre des soins habituels à la naissance car la bactérie intestinale nécessaire à sa fabrication peut leur faire défaut.

*Vitamine K liquide administrée à un nouveau-né*

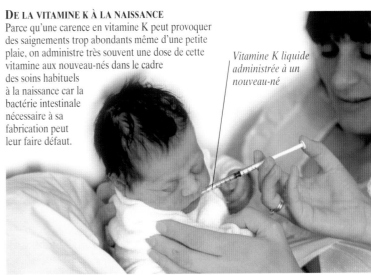

### DES CRISTAUX DE VITAMINE E

La vitamine E est en fait un groupe de composés, appelés tocophérols, qui partagent la même fonction. Cette vue au microscope montre le composé de la vitamine E le plus actif : l'alpha-tocophérol, qui a probablement un rôle protecteur contre les maladies cardiovasculaires.

# LES MINÉRAUX, ÉLÉMENTS DE LA TERRE

Comme les vitamines, les minéraux ne sont nécessaires qu'en petite quantité mais sont néanmoins indispensables à la santé. Pour un certain nombre de processus corporels, ils sont vitaux : formation des os et des dents, réactions biologiques, équilibre en eau, production d'hormones, fonctionnement des systèmes circulatoire, nerveux et digestif. Il existe plus de 60 minéraux dans l'organisme, mais 15 seulement sont considérés comme essentiels et doivent être fournis par l'alimentation. Pour s'assurer un apport suffisant en minéraux, il est recommandé d'adopter un régime équilibré et varié constitué surtout de produits frais et peu transformés. Une carence ou un surdosage de l'un des minéraux peut générer des problèmes de santé.

**CETTE TERRE QUI NOUS NOURRIT**
Les minéraux sont des éléments de l'écorce terrestre présent dans le sol, l'eau souterraine et la mer. Certains sont absorbés par les racines des plantes, puis par les hommes et les animaux qui, à leur tour, consomment ces végétaux.

**LE RACHITISME**
Une carence en minéraux peut déclencher des maladies. Par exemple, un déficit en calcium peut être à l'origine du rachitisme provoquant une déformation douloureuse du squelette.

*Riche en magnésium*

Bananes

*Fournit du potassium*

*Riche en phosphore*

Pain complet

**DES MINÉRAUX ESSENTIELS**
Les huit minéraux essentiels dont nous avons besoin en grande quantité sont le calcium, le phosphore, le potassium, le sodium, le chlorure, le magnésium, le fer et le zinc. Les sept autres minéraux, nécessaires en quantité moindre, sont le fluor, le cuivre, le sélénium, l'iode, le manganèse, le chrome et le cobalt. Tous ces minéraux contribuent à la santé avec les vitamines et d'autres substances.

*Bonne source de zinc*

Cresson

Œuf

**UN VERRE DE CALCIUM**
Entrant dans la constitution des dents et des os, le calcium est le minéral le plus abondant dans le corps humain. Il intervient aussi dans la régulation du rythme cardiaque et des contractions musculaires. Il est vital pour les jeunes enfants qui renouvellent totalement leur squelette tous les deux ans. On le trouve dans les produits laitiers, les légumes à feuilles vert foncé, le nori (une algue) et les poissons en conserve consommés avec leurs arêtes.

**POINT TROP N'EN FAUT**
Le sodium est essentiel en petites quantités pour régulariser la pression artérielle et permet de maintenir l'eau dans le corps. Il faut cependant savoir que de nombreux produits transformés, des potages aux plats préparés, sont trop salés. Une alimentation trop riche en sel (chlorure de sodium) peut générer des problèmes de tension et de rétention d'eau, ce qui fatigue le cœur et les reins.

**LE DENTIFRICE FLUORÉ**
Le dentifrice et l'eau du robinet sont nos deux principales sources de fluor. Celui-ci nous est nécessaire pour la formation d'os et de dents solides. Dans l'alimentation, c'est dans le thé et les produits de la mer (surtout s'ils sont consommés avec les arêtes) qu'on le trouve.

*Le sel est amassé en tas pyramidaux.*

Graines de potiron

Semoule
de couscous

Algue

Hémoglobine

Abricots
secs

Chocolat noir

## DES ALIMENTS RICHES EN FER POUR LES VÉGÉTARIENS

Le fer contenu dans la viande et les produits animaux est mieux assimilé par le corps que le fer des végétaux. Pour les personnes strictement végétariennes, il est cependant indispensable de consommer des aliments riches en fer : céréales, fruits secs, légumes verts, algues, noix, graines et chocolat noir. Un produit riche en vitamine C pris durant le même repas facilitera l'absorption de ce fer.

Fruits secs oléagineux

## LES GLOBULES ROUGES ET LE FER

Le fer est indispensable à la fabrication de l'hémoglobine qui entre dans la composition des globules rouges (ci-dessus) et transporte l'oxygène dans le sang, ainsi qu'à la production de myoglobine qui apporte l'oxygène aux cellules musculaires. Une carence en fer va diminuer la production de globules rouges et risque de provoquer une anémie si elle devient sévère.

Cristaux de calcaire vus au microscope

## DES DÉPÔTS DE CALCAIRE

Les minéraux ne peuvent pas être détruits mais ils peuvent être perdus au cours de la cuisson car ils se dissolvent dans l'eau que l'on jette ensuite. On le voit très bien dans une bouilloire entartrée par le calcaire, qui est en fait du calcium dissous et déposé. Il est donc préférable de privilégier les modes de cuisson sans eau qui préservent la teneur en minéraux d'un aliment.

## LE SEL DE LA TERRE

Le sel de table est récolté dans la terre ou en bord de mer. Il existe en effet des mines de sel souterraines qui sont exploitées : après avoir été remonté en surface, le sel subit un traitement au cours duquel on lui ajoute parfois de l'iode, nécessaire pour le métabolisme des cellules. Quant au sel marin, il est extrait dans les marais salants. L'eau de mer suit un circuit, se concentre et finit par s'évaporer au soleil, laissant une couche de sel qui sera récoltée de façon traditionnelle.

# CES PLANTES QUI ENTRETIENNENT LA SANTÉ

Dans les années 1970, les scientifiques ont découvert que nous empruntons certaines défenses naturelles aux végétaux que nous mangeons. Ceux-ci, en effet, sont riches en composés ayant une action sur les bactéries, les virus et la dégénérescence des cellules. Ce sont ces substances qui donnent aux plantes leur odeur, leur couleur, leur goût et leur texture. Avec les nutriments et les fibres, elles contribuent à protéger notre organisme contre les maladies, à nous maintenir en bonne santé et à augmenter la durée de vie.

Pour profiter de leurs bienfaits, il suffit de veiller à consommer cinq à neuf portions de fruits et de légumes par jour. C'est également dans notre alimentation que nous puisons les antioxydants et certaines bactéries bénéfiques.

## LES PIMENTS

Ces petits piments aux vives couleurs relèvent le goût de nombreux plats, mais sont également riches en principes actifs. On soupçonne la capsaicine, qui procure cette sensation de brûlure quand on les consomme, de posséder une puissante action anti-cancéreuse. Les piments sont également riches en vitamine C.

*Les piments rouges contiennent plus de bêta-carotène que les verts.*

*Les radicaux libres sont à l'origine des rides.*

*Un régime alimentaire sain donne une belle peau.*

## LES RADICAUX LIBRES ET LE VIEILLISSEMENT

Les radicaux libres sont des substances produites normalement par le métabolisme de l'organisme. Mais s'ils sont présents en trop grandes quantités, ils peuvent, avec le temps, endommager les cellules. Ils sont notamment responsables du vieillissement mais aussi du cancer et des maladies cardiovasculaires. Pour neutraliser leurs effets néfastes, il est conseillé de consommer des aliments riches en antioxydants.

Myrtilles

*La sauge, le romarin et le thym sont des herbes aromatiques au pouvoir antioxydant.*

Grenade

*Graines juteuses appelées arilles*

*Le lactobacillus est une bactérie bénéfique présente dans l'intestin.*

## DES VERTUS ANTIOXYDANTES

Les plantes renferment bon nombre d'antioxydants, des molécules qui nous protègent des radicaux libres. Ces derniers sont comparables à une « rouille du corps » provoquant des dégâts en oxydant nos cellules. Parmi les antioxydants figurent l'anthocyanine de la myrtille, les polyphénols des grenades et les flavonoïdes des plantes aromatiques comme le romarin et la sauge.

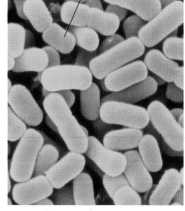

## PIGMENTS ROSES

Les flamants sont roses parce qu'ils consomment des pigments caroténoïdes présents dans leur nourriture. Il en va de même des saumons. Le carotène est un antioxydant qui contribue à la production de vitamine A. Il est également présent dans les végétaux de couleur orange, rose, rouge et jaune, comme les carottes et les oranges. Pour bénéficier de la variété des principes actifs des aliments, il faut consommer des produits de différentes couleurs.

## LES BACTÉRIES BIENFAISANTES

Des milliards de bactéries habitent notre système digestif. Certaines sont néfastes mais d'autres bénéfiques : ce sont les bactéries probiotiques. Afin de maintenir l'équilibre entre les deux, on peut consommer des produits laitiers fermentés et des yaourts dont les probiotiques empêcheront l'intestin d'être colonisé par des micro-organismes nocifs.

*L'ail a été utilisé comme remède à toutes sortes de maladies, depuis les refroidissements jusqu'à la peste noire.*

### LES BIENFAITS DE L'AIL

Depuis l'Antiquité, on considère que l'ail procure force et courage à celui qui le consomme. Les Egyptiens veillaient à ce que les ouvriers des pyramides en mangent beaucoup et les Romains en donnaient à leurs soldats. Plus récemment, les chercheurs lui ont découvert d'importantes vertus. Grâce à l'allicine et au disulfure de diallyle qu'il contient, c'est un antibiotique, un antiseptique et un vermifuge naturel. L'ail contribue à faire baisser le mauvais cholestérol et la tension artérielle et fluidifie également le sang, évitant ainsi la formation de caillots qui pourraient déclencher des accidents cardiovasculaires.

*L'ail possède plus d'effets bénéfiques cru que cuit.*

*Le lycopène est un pigment rouge.*

### UN PEU DE KETCHUP

Les tomates renferment un principe actif, le lycopène, ayant un effet protecteur contre les maladies cardiovasculaires et certains cancers. Les procédés de transformation des aliments peuvent détruire certains de leurs principes actifs, mais dans certains cas, ils facilitent aussi leur absorption. Ainsi, le ketchup contient plus de lycopène que les tomates crues.

### UNE BOISSON SAINE

Après la cueillette, ces feuilles de thé seront séchées et mélangées. Des études ont montré que les buveurs de thé bénéficient des flavonoïdes contenus dans la plante. Ces pigments renforcent les capillaires et le tissu conjonctif et protègent des maladies cardiovasculaires et de certains types de cancer.

### SUPER SOJA

Le soja et tous ses produits dérivés sont riches en isoflavones, qui réduisent le taux de cholestérol et les risques de cancer, de maladies cardiovasculaires et d'ostéoporose (une maladie qui entraîne des fractures des os). Le lait et les yaourts de soja, le tofu et l'edamame (un type de fève de soja vert) sont donc des aliments très bénéfiques.

*Le tofu apporte des protéines et peu de graisses.*

Fenouil

Graines de lin

### HORMONES VÉGÉTALES

Certains végétaux, comme le fenouil et les graines de lin, contiennent des phyto-œstrogènes semblables aux hormones féminines, même si leur action est plus faible. Leur consommation régulière peut réduire les risques de cancer du sein et de maladies cardiovasculaires. Ils sont aussi très bénéfiques après la ménopause.

# LES ALLERGIES ET LES TOXINES

Certains aliments peuvent être dangereux si l'on souffre d'une allergie. L'allergie est une réponse anormale du système immunitaire à un aliment donné, tels l'arachide ou les fruits de mer. C'est souvent un problème héréditaire qui tend à apparaître dès l'enfance. Mais les réactions allergiques sévères aux aliments, avec difficultés respiratoires, vomissements, éruptions cutanées, restent relativement rares. On assiste plus fréquemment à des cas d'intolérance alimentaire : les personnes ont des réactions désagréables, telles que des ballonnements après l'ingestion d'une catégorie de produits, comme les laitages par exemple. Il existe également des denrées naturellement toxiques si elles ne sont pas préparées ou cuites correctement. Parmi celles-ci, on peut citer les haricots rouges, certaines espèces de champignons et une espèce de poisson tropical.

### LES HARICOTS ROUGES
Ces haricots contiennent de la lectine, une toxine fréquente dans de nombreux végétaux mais chez eux très concentrée. Les consommer crus ou pas assez cuits peut déclencher des maux de ventre assez violents. Il est donc important de les faire cuire correctement afin de réduire le risque d'intoxication.

### LES MORILLES
Ces délicieux champignons comestibles contiennent de l'acide helvellique en petite quantité. Grâce à la cuisson, qui détruit cette toxine, nous pouvons les consommer sans problème mais il ne faut surtout pas les manger crus. Beaucoup de champignons sont vénéneux, certains ressemblant à s'y méprendre à des espèces comestibles. Il est donc prudent de ne consommer que ceux que l'on est sûr de bien connaître.

*Ce chef cuisinier possède une autorisation spéciale pour la préparation du fugu.*

Agrumes

Huîtres

### UN METS DE CHOIX QUI PEUT ÊTRE MORTEL
Si le fugu est un mets de grand choix au Japon, il est aussi extrêmement toxique. Ce poisson du groupe des tétraodons possède en effet des glandes renfermant un poison 270 fois plus violent que le cyanure. Les chefs cuisiniers qui le préparent doivent être spécialement formés pour savoir retirer les glandes sans les perforer, ce qui nécessite une précision de chirurgien. Si les clients consommaient la toxine, ce serait leur dernier repas !

## CRISTAUX D'HISTAMINE

C'est le chimiste britannique George Barger (1878-1939) qui étudia le rôle de l'histamine dans les réactions allergiques. Lorsqu'une personne souffrant d'allergie alimentaire est exposée à un allergène (produit déclenchant une réaction allergique), l'organisme produit de l'histamine (vue ci-contre au microscope), ce qui déclenche ensuite des réactions inflammatoires.

George Barger

## QU'EST-CE QU'UNE ALLERGIE ALIMENTAIRE ?

Quand on est sujet à une allergie alimentaire, notre système immunitaire répond à l'aliment allergène par la production d'anticorps. Ceux-ci stimulent certaines cellules qui vont libérer de l'histamine, entraînant une inflammation du système digestif, de la peau, des poumons, du nez et de la gorge. Les aliments provoquant le plus souvent des allergies sont les fruits de mer (crevettes, écrevisses, homard, crabe, moules et huîtres), les agrumes, les arachides et autres fruits secs oléagineux, le blé, le lait, les œufs, le chocolat et les fraises.

Arachides

Fraises

Chocolat

Œuf

## INTOLÉRANCES PRÉCOCES

Les bébés peuvent être sujets aux allergies alimentaires. C'est la raison pour laquelle, durant le sevrage, les aliments nouveaux sont introduits un par un avec un délai d'au-moins trois jours entre chacun. Cela facilite l'identification de la substance responsable en cas d'allergie. Heureusement, passé l'âge de 5 ans, les problèmes d'intolérance alimentaire disparaissent chez beaucoup d'enfants, sans doute parce que leur système immunitaire évolue.

*Urticaire dû à une allergie*

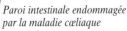

## LES SYMPTÔMES D'ALLERGIE

Les personnes allergiques peuvent développer de l'urticaire, des douleurs abdominales, des vomissements, de la diarrhée, des sifflements bronchiques, des démangeaisons dans la bouche ou avoir le nez qui coule. Dans les cas extrêmes, un œdème de la gorge empêche de respirer : c'est le choc anaphylactique qui requiert un médecin de toute urgence.

## LES TESTS DE SENSIBILITÉ

Si l'on soupçonne, chez un patient, une allergie alimentaire, le médecin peut faire réaliser une série de tests cutanés (ci-contre). Un extrait dilué de la substance suspectée est déposé sur la peau de l'avant-bras ou du dos. On observe ensuite si une réaction, telle qu'un gonflement, survient. Il est essentiel pour toute personne allergique d'identifier l'aliment responsable afin de l'éviter.

## L'INTOLÉRANCE ALIMENTAIRE

La maladie cœliaque (ci-contre) est une intolérance au gluten, présent dans le blé, l'orge, l'avoine et le seigle. Une intolérance alimentaire survient quand le corps ne produit pas l'enzyme nécessaire à la digestion d'une substance particulière, comme le lactose, c'est-à-dire le sucre du lait. Elle peut aussi être une réaction à des substances chimiques, telles que la caféine présente dans certaines boissons et aliments. Les symptômes sont des gaz et des nausées.

*Paroi intestinale endommagée par la maladie cœliaque*

Champ de sorgho

## RÉGIMES D'ÉVICTION

Les allergies et les intolérances peuvent être traitées en évitant les aliments déclencheurs et en trouvant des alternatives. Les personnes ne tolérant pas le blé peuvent consommer à la place du maïs, du riz, du soja, du sarrasin, du manioc, du quinoa. Les régimes d'éviction sont cependant délicats à mettre en place surtout quand il s'agit d'aliments très utilisés comme le lait et les œufs.

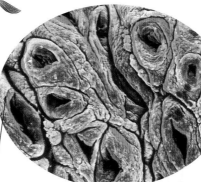

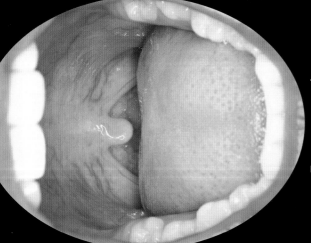

# DIGESTION ET ASSIMILATION

Notre corps ne peut bénéficier des nutriments apportés par les aliments que lorsqu'ils sont passés dans le système digestif pour être intégrés par nos cellules et nos tissus. Ce processus s'appelle la digestion et l'assimilation. La digestion s'effectue dans un long tube, le tube digestif, dont l'entrée est la bouche et la sortie l'anus. Entre les deux se trouvent l'œsophage, l'estomac, l'intestin grêle et le gros intestin, chacun de ces organes ayant un rôle différent : transit de la nourriture, fragmentation, facilitation de l'absorption des nutriments, élimination des déchets. La digestion est accélérée par l'action de substances protéiniques : les enzymes. Des enzymes différentes agissent sur chacun des principaux nutriments (glucides, lipides et protéines) pour les réduire en éléments plus simples assimilables.

### WILLIAM BEAUMONT (1785-1853)

Ce médecin américain soigna un patient dont l'abdomen avait été perforé par une balle. L'homme se remit de sa blessure mais la plaie resta ouverte, ce qui permit à Beaumont de découvrir le fonctionnement du système digestif.

### IVAN PAVLOV ET SES CHIENS

Le scientifique russe Ivan Pavlov (1849-1936) étudia la digestion du chien pour comprendre comment influer sur certains réflexes comme la salivation. Comme l'homme, le chien salive lorsqu'il mange. Pavlov décida donc de faire tinter une cloche à chaque fois qu'il nourrissait ses chiens. Rapidement, les chiens se mirent à saliver dès le tintement de la cloche, qu'on leur donne à manger ou non. Cependant, après une série de tintements non suivis de la pâtée, les chiens cessèrent de saliver.

### TOUT COMMENCE LÀ

La bouche est le point de départ du processus digestif. D'une part, les dents déchirent les aliments en petits morceaux et les broient. D'autre part, les glandes salivaires libèrent une enzyme qui commence à fragmenter les glucides. Puis la langue déplace les bouchées vers le fond de la bouche où elles sont déglutes (avalées).

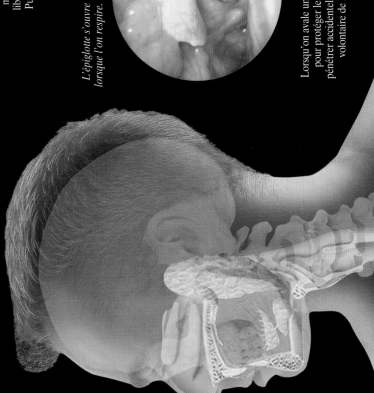

*L'épiglotte ferme le larynx quand on déglutit.*

*L'épiglotte s'ouvre lorsque l'on respire.*

### DANS LE BON TUYAU!

Lorsqu'on avale une bouchée, une languette de cartilage, l'épiglotte, se ferme pour protéger le larynx et les cordes vocales et empêcher les aliments de pénétrer accidentellement dans la trachée. La déglutition est la dernière étape volontaire de la digestion car le tube digestif prend ensuite le relais.

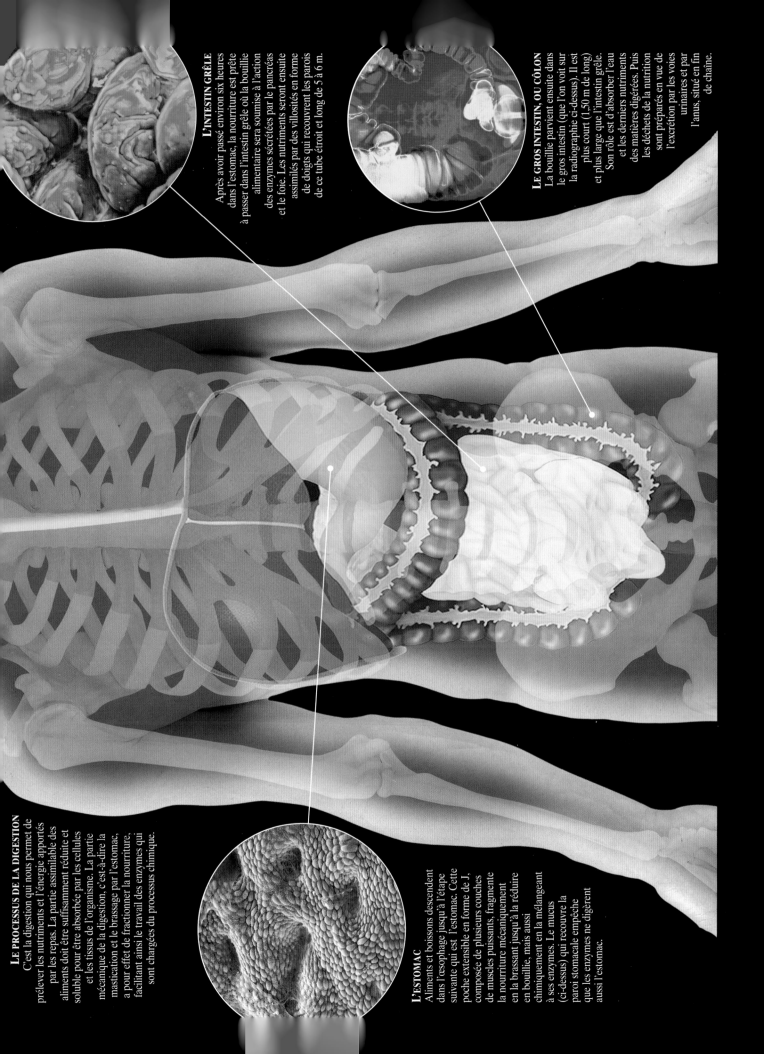

## LE PROCESSUS DE LA DIGESTION

C'est la digestion qui nous permet de prélever les nutriments et l'énergie apportés par les repas. La partie assimilable des aliments doit être suffisamment réduite et soluble pour être absorbée par les cellules et les tissus de l'organisme. La partie mécanique de la digestion, c'est-à-dire la mastication et le brassage par l'estomac, a pour effet de fractionner la nourriture, facilitant ainsi le travail des enzymes qui sont chargées du processus chimique.

## L'INTESTIN GRÊLE

Après avoir passé environ six heures dans l'estomac, la nourriture est prête à passer dans l'intestin grêle où la bouillie alimentaire sera soumise à l'action des enzymes sécrétées par le pancréas et le foie. Les nutriments seront ensuite assimilés par des villosités en forme de doigts qui recouvrent les parois de ce tube étroit et long de 5 à 6 m.

## LE GROS INTESTIN, OU CÔLON

La bouillie parvient ensuite dans le gros intestin (que l'on voit sur la radiographie ci-dessus). Il est court (1,50 m de long) plus large que l'intestin grêle. Son rôle est d'absorber l'eau et les derniers nutriments des matières digérées. Puis les déchets de la nutrition sont préparés en vue de l'excrétion par les voies urinaires et par l'anus, situé en fin de chaîne.

## L'ESTOMAC

Aliments et boissons descendent dans l'œsophage jusqu'à l'étape suivante qui est l'estomac. Cette poche extensible en forme de J, composée de plusieurs couches de muscles puissants, fragmente la nourriture mécaniquement en la brassant jusqu'à la réduire en bouillie, mais aussi chimiquement en la mélangeant à ses enzymes. Le mucus (ci-dessus) qui recouvre la paroi stomacale empêche que les enzymes ne digèrent aussi l'estomac.

# LES BESOINS ALIMENTAIRES

Pour être en bonne santé, tous les êtres humains ont besoin des mêmes nutriments mais pas dans les mêmes proportions. En effet, la quantité de nutriments et de calories nécessaires varie d'une personne à l'autre et dépend de l'âge, du sexe, de la taille, de l'état de santé et de l'activité physique. Les spécialistes, en se basant sur l'état de la recherche en matière de nutrition, formulent des recommandations : ce sont les apports journaliers recommandés, ou AJR, qui nous indiquent la quantité de protéines, de glucides, de lipides, de vitamines et de minéraux qu'il faut consommer au quotidien. Cependant, nos repas n'étant pas toujours identiques, nous mangeons parfois plus certains jours. C'est la raison pour laquelle, en pratique, on établit une moyenne sur plusieurs jours.

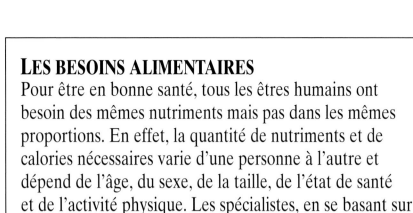

### QUELS SONT NOS BESOINS NUTRITIONNELS ?

Nos besoins évoluent tout au long de la vie. Durant les six premiers mois par exemple, le lait maternel ou le lait maternisé convient à l'équilibre nutritionnel du bébé qui grandit et se développe rapidement. A l'âge de six mois, en revanche, cela ne suffit plus et d'autres aliments doivent être introduits au fur et à mesure du sevrage. Bien sûr, les besoins augmentent à plusieurs reprises au cours de l'enfance et, vers 11 ans, les garçons nécessitent des apports nutritionnels plus importants que les filles ; une différence qui persistera durant l'âge adulte.

### LA QUALITÉ DES CANTINES

Les directives gouvernementales en matière d'alimentation s'appuient sur les apports journaliers recommandés et les repas des cantines scolaires sont, en principe, établis sur la base des AJR, selon la Charte de l'écolier, adoptée en 1971 en France. Des contrôles occasionnels peuvent être effectués par les Directions aux affaires sanitaires et sociales (DDASS). Dans certaines communes, les écoles bénéficient de l'intervention d'une diététicienne. Dans les collèges et lycées, ce contrôle est effectué par les infirmières scolaires.

### UN RÉGIME ALIMENTAIRE ADAPTÉ

Les besoins nutritionnels d'une personne dépendent en partie de son style de vie et de son activité physique. Dès l'adolescence, les garçons ont en général des besoins énergétiques plus importants que ceux des filles. Il faudra également plus de calories à un travailleur manuel qu'à un employé plus sédentaire.

Apports hebdomadaires recommandés pour un homme en activité

*Le pain fournit des vitamines du groupe B.*

*De 19 à 50 ans, un homme a besoin de 1 g de protéines par kilo de poids corporel par jour.*

*Les crustacés sont riches en protéines.*

*Les céréales sont sources de glucides.*

*Les légumes apportent vitamines et minéraux.*

Apports hebdomadaires
recommandés pour un bébé

Les fruits frais sont
riches en vitamines.

Un bébé de un an
nécessite environ
15 g de protéines
par jour.

## UNE CROISSANCE RAPIDE

Au cours des trois premières années, les enfants ont des
besoins importants car ils sont très actifs et grandissent
rapidement. Il leur faut aussi pratiquement toutes les
vitamines et tous les minéraux en grandes
quantités. Il est recommandé de leur donner du
lait entier plutôt que du lait écrémé et veiller à ce
qu'ils ne consomment pas trop de fibres, qui
remplissent l'estomac et prennent la place de
nutriments plus nourrissants.

Le lait entier a une
teneur en lipides
élevée : c'est
important pour
la croissance
des enfants.

Le pain apporte
des glucides.

Les céréales peuvent
être enrichies en
vitamines et
en minéraux.

Le fromage est
une bonne source
de calcium.

Les petits pois
sont nourrissants
et faciles à digérer.

Les bébés adorent croquer
dans les carottes.

Le poisson
apporte des
protéines.

## MANGER POUR DEUX

La grossesse nécessite des apports
supplémentaires de certains nutriments.
Les femmes qui souhaitent avoir un
enfant doivent adopter un régime
suffisamment riche en vitamine B9,
présente notamment dans
les légumineuses et les légumes verts.
Elle réduit le risque de malformation
du fœtus.

Prendre de bonnes
collations riches
en vitamines et
en minéraux est
important pendant
la grossesse.

Une bonne
alimentation
permet aux
personnes
âgées d'être
en forme et
de rester
actives.

## L'ÂGE MÛR

Chez les personnes âgées, les besoins énergétiques
quotidiens diminuent un peu. Ils sont d'environ
2 000 kcal pour un homme et 1 800 kcal pour
une femme. Mais les besoins en vitamines
et en minéraux restent les mêmes.
C'est pourquoi les seniors ont parfois
besoin de compléments alimentaires.

## VÉRIFIER L'ÉTIQUETAGE

Il est difficile de baser son alimentation sur les AJR
car ils ont été mis au point au départ pour des
professionnels plus que pour les particuliers. C'est
pourquoi les étiquettes des produits alimentaires
portent une version simplifiée des AJR,
beaucoup plus facile à comprendre pour le
consommateur qui repère d'un coup d'œil
les valeurs nutritionnelles et énergétiques
par portion.

## DES BOISSONS NOURRISSANTES

Certains fabricants de produits
alimentaires et de boissons
ajoutent des vitamines et des
minéraux à leurs produits. C'est
le cas des jus de fruits et de l'eau
minérale. Cette pratique permet
de combler nos besoins quotidiens
en nutriments (calcium par
exemple) en évitant de consommer
trop de calories.

Eau minérale

Calculs rénaux observés
sur une radiographie

## DE TOUT MODÉRÉMENT

Certains nutriments sont toxiques à forte
dose. Bien que rare, un excès de vitamine D
peut générer des calculs rénaux, cristaux durs qui
se forment dans le système urinaire. Les AJR nous
informent sur les quantités maximales à ne pas dépasser
pour chaque nutriment.

# LA CONSERVATION DES DENRÉES ALIMENTAIRES

Conserver les aliments a toujours été pour l'homme une question de survie. Au cours des millénaires, divers procédés de conservation ont été mis au point. Les Romains frottaient la viande au sel pour la sécher ; cela se pratique encore de nos jours avec les jambons. Les micro-organismes responsables du pourrissement ne survivent pas aux températures extrêmes ou quand il n'y a plus d'humidité. C'est pourquoi la stérilisation, la congélation, le séchage ou l'ajout de conservateurs sont autant de méthodes qui permettent de garder les provisions pendant des mois, voire des années, sans pour autant qu'elles perdent leur goût ou deviennent impropres à la consommation.

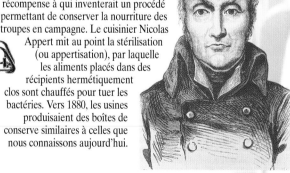

*Le jambon cru italien est mis à sécher jusqu'à 18 mois.*

### LE SÉCHAGE
La viande et le poisson peuvent être conservés par séchage : on les frotte avec du sel puis on les met à sécher pendant plusieurs mois. Ce procédé supprime l'humidité qu'ils contiennent et tue les bactéries. L'air circulant autour de la viande l'assèche en superficie, comme pour le jambon ci-dessus. Une croûte se forme et ainsi, l'intérieur reste tendre. Cette croûte sera ensuite supprimée.

### SUSPENDUS POUR SÉCHER
Suspendre les aliments au soleil pour qu'ils sèchent est une méthode de conservation ancienne. Le vent et la chaleur suppriment l'humidité favorable au développement des bactéries. La durée du séchage dépend du type de denrée et de son épaisseur. Il ne faut pas que le produit sèche trop vite, car alors, l'extérieur se crevasse tandis que l'intérieur reste humide, ce qui peut provoquer sa moisissure.

### LA FUMAISON
Après avoir préparé la viande ou le poisson, on peut les fumer au-dessus des braises. Pratiquée depuis les temps préhistoriques pour accélérer le séchage, la fumaison est aujourd'hui employée pour faire ressortir la saveur, l'arôme et la couleur d'un produit.

Harengs séchant en plein air

Bocaux de conserves au vinaigre

### MISE EN BOÎTE
Au début du XIXᵉ siècle, Napoléon Iᵉʳ offrit une récompense à qui inventerait un procédé permettant de conserver la nourriture des troupes en campagne. Le cuisinier Nicolas Appert mit au point la stérilisation (ou appertisation), par laquelle les aliments placés dans des récipients hermétiquement clos sont chauffés pour tuer les bactéries. Vers 1880, les usines produisaient des boîtes de conserve similaires à celles que nous connaissons aujourd'hui.

Nicolas Appert
(1749–1841)

### LES CONSERVES AU VINAIGRE
Les conserves au vinaigre existaient déjà il y a 4000 ans ! La reine Cléopâtre affirmait que sa beauté était due au fait qu'elle en consommait. Ce procédé consiste à mettre en pots ou en bocaux des produits variés – légumes ou poissons, par exemple – puis à les recouvrir de vinaigre. L'acidité de celui-ci empêche les micro-organismes dangereux de se développer et préserve ainsi les aliments.

**CONSERVATION PAR LE FROID**
Inspiré par une mission dans l'Arctique où la
viande et le poisson étaient rapidement
congelés dans l'eau glacée, l'inventeur
américain Clarence Birdseye (1886-1956)
mit au point une machine
capable de refroidir rapidement
les aliments à des températures
extrêmement basses. Emballés
ensuite dans des cartons
paraffinés, ils conservaient, au
moment de la décongélation, tout
leur goût ainsi que leur structure.

Clarence Birdseye

Rations pour
astronautes

*La nourriture*
*est placée*
*dans la boîte.*

*Le produit*
*sera ensuite*
*chauffé à haute*
*température*
*pour détruire*
*les micro-*
*organismes.*

**LES ALIMENTS**
**DÉSHYDRATÉS**
La lyophilisation permet de conserver
les produits longtemps tout en les rendant
plus légers. Quand l'aliment est placé sous vide
d'air, l'humidité qu'il renferme se transforme
instantanément en vapeur. C'est ainsi qu'est produit
le café lyophilisé.

**C'EST DANS LA BOÎTE**
Qu'elle soit en bocal ou en boîte, la mise en conserve repose sur le même principe.
La nourriture est stérilisée par chauffage et reste stérile jusqu'à l'ouverture
du récipient car il n'y a pas d'air à l'intérieur. Les boîtes de conserve sont très
utilisées car elles sont robustes et leur fabrication est peu coûteuse. Leur contenu
peut être chauffé à 120°C, ce qui tue toute bactérie potentiellement mortelle.
Mais pour assurer la sécurité alimentaire tout en préservant le goût
et les nutriments, chaque catégorie d'aliment nécessite un temps
de stérilisation différent.

Acide
benzoïque vu
au microscope

**LES CONSERVATEURS**
Depuis l'avènement, dans la seconde moitié du XXᵉ siècle, des produits
transformés, les additifs naturels et artificiels ont été largement utilisés
par les fabricants pour conserver leurs produits. La photographie
ci-dessus montre des cristaux d'acide benzoïque, également
appelé E210. Employé comme conservateur, il empêche
la prolifération des moisissures, des champignons,
des levures et de certaines bactéries.

# LA CUISSON DES ALIMENTS

Les hommes primitifs ont mangé cru pendant des milliers d'années. Alors pourquoi cuisons-nous les aliments aujourd'hui ? Parce que la chaleur tue les parasites et les microbes dangereux tout en attendrissant les fibres de la viande et des végétaux, facilitant ainsi leur mastication et leur digestion. La cuisson améliore l'aspect, l'odeur et le goût de la nourriture car les transformations physiques et chimiques qu'elle provoque créent toutes sortes de saveurs, de textures, d'arômes et de couleurs. Il existe deux grands types de modes de cuisson : à la chaleur sèche d'une part – cuissons au four, au grill, à la poêle – et toutes les cuissons à l'eau d'autre part, où l'on fait mijoter ou bouillir. Certains modes sont plus sains que d'autres. Par exemple, la cuisson à la vapeur est préférable à la cuisson à la poêle car elle préserve les vitamines et s'effectue sans ajout de matières grasses.

**L'APPORT CULINAIRE DU FEU**
Les hommes préhistoriques « apprivoisèrent » le feu il y a environ 500 000 ans mais personne ne sait à partir de quelle époque ils ont commencé à l'utiliser pour la cuisine. On suppose que la cuisson des aliments a été découverte par hasard, après avoir laissé une carcasse d'animal trop près d'un foyer, par exemple. La cuisson augmentait les chances de survie des jeunes et des personnes âgées car en attendrissant les denrées alimentaires, elle en facilitait la consommation.

**CUISSONS PRIMITIVES**
L'homme primitif a probablement d'abord fait rôtir son repas au-dessus du feu. On peut aussi imaginer qu'il faisait cuire à la vapeur en enrobant les aliments dans des feuilles humectées avant de les placer sous la cendre ou qu'il cuisinait dans des pierres creuses ou des crânes. Ce n'est que vers 6000 av. J.-C. qu'est apparue la cuisson dans des récipients en argile.

**SUR LE GRILL**
Les délicieux fumets et le grésillement qui accompagnent la cuisson sur la flamme nous mettent en appétit comme nos ancêtres de la préhistoire. Griller consiste à saisir rapidement à feu vif : une croûte se forme tout autour de l'aliment directement exposé à la chaleur tandis que son cœur reste bien moelleux. C'est une méthode de cuisson considérée comme saine pour la viande et tout ce qui contient des graisses, car elle permet à celles-ci de s'égoutter.

*La cuisson à l'eau bouillante attendrit les légumes.*

*Les légumes remués pendant qu'on les fait sauter restent croquants.*

## LA CUISSON À L'EAU

Ce procédé permet de conserver le goût délicat des aliments. Vers 500 av. J.-C., on creusait un trou dans le sol, puis on le tapissait de galets avant de le remplir d'eau. Ensuite, on y jetait des pierres brûlantes chauffées sur le feu afin de faire cuire la nourriture. De nos jours, c'est plus simple : il suffit de poser la casserole pleine d'eau sur le gaz ou la plaque électrique.

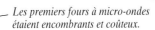

*Les premiers fours à micro-ondes étaient encombrants et coûteux.*

## FAST-FOOD

Les premiers fours à micro-ondes sont apparus en 1947. La publicité d'alors vantait les mérites de ce modèle (à gauche) qui cuisait les morceaux de poulet en trois minutes seulement. Ce type de four se démocratisa dans les années 1980. Dans ce procédé de cuisson, les mets sont soumis à des ondes électromagnétiques qui agitent et échauffent les molécules d'eau que renferment les aliments.

## LA CUISSON AVEC DES MATIÈRES GRASSES

Certaines matières grasses peuvent être chauffées à très haute température pour cuire rapidement des aliments sans perte de goût ni de moelleux. L'une des méthodes de cuisson consiste à plonger le produit dans un bain de friture chaude, une autre à faire sauter les aliments dans une sauteuse ou une poêle sur un fond de matière grasse. Les Asiatiques, par exemple, font sauter leurs mets dans un wok en les remuant vivement et en utilisant très peu d'huile.

## AUTOUR DE L'ÂTRE

Jadis, dans les familles aisées, la cuisine était le domaine des domestiques, comme en témoigne cette illustration du XIXᵉ siècle. Mais dans la plupart des foyers, il n'y avait pas de lieu réservé à la préparation des repas. La maison ne comprenait souvent qu'une seule et unique pièce où l'on vivait autour de l'âtre qui servait à se chauffer, à s'éclairer et à cuisiner. L'apparition de la cuisine est relativement récente.

## DANS LES CUISINES MODERNES

Les cuisines d'aujourd'hui sont non seulement fonctionnelles mais, avec leurs lignes stylées, elles sont devenues aussi agréables à vivre que les autres pièces de la maison. Grâce à une batterie d'appareils destinés à faire gagner du temps ainsi qu'aux plats préparés, on ne passe plus des heures au-dessus des cuisinières brûlantes.

## PRODUITS LOCAUX, CUISINE RÉGIONALE

Cette illustration médiévale représente la cueillette des olives. Jadis, on consommait uniquement les produits du terroir. Aujourd'hui, on s'intéresse de nouveau aux denrées locales et de saison car elles sont fraîches et plus écologiques en ce sens qu'elles n'impliquent pas de longs transports par la route ou par avion.

*Les petits piments ajoutent une saveur piquante.*

# LES CUISINES ET LA GASTRONOMIE

Chaque région a sa propre cuisine avec ses traditions culinaires, ses recettes typiques, ses produits et ses vins du terroir. Pendant des milliers d'années, les repas n'ont été préparés qu'avec les denrées alimentaires disponibles localement. Les gens mangeaient les animaux qu'ils chassaient ainsi que les fruits et légumes qui poussaient là où ils habitaient. Les interdits religieux en matière d'alimentation ont aussi joué un rôle important dans les fondements de la cuisine régionale.

Au siècle dernier, l'essor de la distribution a permis de rapprocher les différentes cuisines du monde. Dans de nombreux pays cohabitent désormais la cuisine locale et des plats venus d'ailleurs.

### LA CUISINE PAR LES LIVRES

Ce livre de cuisine italien a été publié à Venise en 1622. Comportant des recettes et des techniques, les livres de cuisine sont l'essence de la gastronomie d'une nation ou d'une région. Le plus ancien est sans doute *De l'art culinaire*, rédigé au premier siècle par le Romain Marcus Apicius.

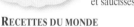

Singapour : nouilles de riz, saucisses chinoises et crustacés

*La sauce est faite à base de jus de viande.*

*Variété comestible de nénuphar*

Alsace (France) : choucroute, pommes de terre et saucisses

## RECETTES DU MONDE

Les régimes alimentaires sont très variés de par le monde mais l'on retrouve dans de nombreuses cuisines des sucres lents (par exemple le riz, les ignames, le manioc, les pâtes ou le pain) qui sont servis avec des légumes, de la viande ou du poisson. Les brochettes, les nouilles et les boulettes de viande sont également consommées dans de nombreux pays avec des variantes locales.

Grande-Bretagne : rôti de bœuf et soufflé du comté d'York

Afrique du Sud : nénuphar comestible et ragoût d'agneau

Sud des Etats-Unis : travers de porc, pain de maïs, légumes verts et haricots cornille

Maghreb : brochettes d'agneau et couscous

Chine : soupe Wonton

### UN REPAS AU RESTAURANT

Nous aimons nous rendre dans un restaurant pour déguster un repas gastronomique ou goûter des cuisines exotiques. Et l'on s'amuse souvent à essayer les coutumes liées à la tradition culinaire, comme de manger avec des baguettes dans un restaurant chinois. Avant la création des premiers restaurants au début du XVIIIe siècle, les vendeurs de rue, les auberges et les tavernes proposaient des menus locaux à la clientèle en voyage.

## CUISINE ET MONDIALISATION

L'amélioration de la production des denrées alimentaires, de leur conservation et de leur transport a facilité l'accès du plus grand nombre à toutes les cuisines de la planète. Cependant, on peut craindre que l'exportation de certains styles alimentaires, le fast-food notamment, contribue à généraliser l'obésité et les maladies cardiovasculaires du fait qu'on ne prend plus de repas équilibrés et que l'on mange à toute heure.

*Un chef cuisinier porte une toque.*

## COMME UN CHEF EN SA CUISINE

Un chef cuisinier contribue à préserver, promouvoir, développer et réinventer les cuisines traditionnelles. Dans un restaurant, il est le maître dans la cuisine. Ses attributions vont de la création des recettes et des menus à la préparation des plats et à la direction des différents cuisiniers, pâtissiers, sauciers et commis. Certains sont des célébrités aujourd'hui très médiatisées. Ils gèrent plusieurs restaurants, commercialisent souvent leurs lignes de plats préparés en supermarchés et animent même parfois des émissions de télévision.

## AUGUSTE ESCOFFIER (1846–1935)

Il était connu comme « le roi des chefs et le chef des rois ». Sa délicieuse cuisine l'a rendu célèbre dans le monde entier. Il a écrit plusieurs livres de cuisine qui résument l'art culinaire français et sont désormais considérés comme des classiques.

*Escargots au beurre persillé*

*Grenouille*

## GOÛTS ET DÉGOÛTS

Le goût pour certains plats résulte de nos habitudes alimentaires prises dès l'enfance. Les escargots et les cuisses de grenouille, qui sont des mets de choix en France, ne sont pas forcément appréciés dans les autres pays. Le durian, par exemple, un gros fruit ovale pourvu de piquants consommé en Asie du Sud-Est, n'a pas une odeur très appétissante. Elle a été comparée à celle des eaux d'égouts.

Baguettes
japonaises

# LA CUISINE, ÉLÉMENT DE LA CULTURE

Notre alimentation, la façon dont nous mangeons, les personnes avec qui nous partageons nos repas, les lieux et les heures où nous les prenons sont autant d'éléments révélateurs de notre identité. En effet, les aliments que nous choisissons contribuent à marquer notre individualité en tant que membres d'une famille, mais aussi, à une échelle plus large, notre appartenance à une ethnie ou à une nation. En cela, ils sont un moyen de marquer nos différences tout autant qu'ils nous rassemblent et renforcent les liens culturels. C'est pourquoi on considère la nourriture et les habitudes alimentaires comme éléments à part entière de la culture.

### EXPORTATIONS CULTURELLES
Avec la mondialisation, la cuisine peut être considérée comme une « exportation » culturelle. C'est ainsi que des habitudes alimentaires et des plats régionaux sont adoptés dans les pays étrangers, par exemple le fait de manger avec des baguettes comme en Extrême-Orient.

### BANQUET ROYAL
Le partage d'un repas a toujours contribué à sceller une alliance entre deux cultures. Au cours de l'histoire, les chefs d'Etat en visite ont été honorés par des banquets raffinés présentant le meilleur de la cuisine du pays. En témoigne cette peinture médiévale où un roi portugais reçoit un monarque britannique.

Œil de mouton

### VOUS AVEZ DIT BIZARRE ?
Les aliments acceptés dans une culture peuvent paraître étranges dans d'autres pays. L'œil de mouton bouilli, par exemple, est très prisé au Moyen-Orient et les insectes frits sont une saine collation riche en protéines dans certains pays d'Asie.

Criquets frits au Cambodge

### AUTOUR DE LA TABLE
Dans le monde entier, la préparation et le partage de la nourriture sont des éléments importants de la convivialité familiale. Le moment du repas est précieux car il permet de se rencontrer. Dans certains pays occidentaux, cependant, les repas pris en famille se font plus rares. Ce changement est sans doute dû aux contraintes liées aux activités professionnelles mais aussi à la facilité procurée par les plats préparés qui permettent à chacun de dîner quand il veut.

*Les ignames sont des légumes riches en amidon.*

*La dinde constitue le point d'orgue du repas de Noël.*

### JOURS DE FÊTE
Les repas rituels lors de certaines fêtes sont des événements culturels importants. En France, à Noël, des plats traditionnels, comme la dinde farcie accompagnée de marrons, sont typiques.

### LA FÊTE DES RÉCOLTES
Les fêtes des récoltes, des moissons ou des vendanges, célébrées par la majorité des cultures du monde, contribuent à préserver les traditions culturelles. Milamala (ci-dessus), le festival de l'igname sur l'île Trobri, en Papouasie Nouvelle-Guinée, encourage aussi les villageois à cultiver davantage d'ignames afin que chacun mange à sa faim.

## ALIMENTATION ET IDENTITÉ NATIONALE

L'alimentation joue un grand rôle dans le sentiment d'identité nationale. Au Japon par exemple, la cérémonie du thé, instaurée au XIIIe siècle, est un rite auquel les Japonais sont encore très attachés aujourd'hui. Au cours de celle-ci, les convives partagent un même bol de thé vert ainsi qu'un repas ou des friandises. La cérémonie, qui se déroule de manière très ritualisée, avec des gestes et un ordre établis, peut durer de une à cinq heures !

*L'hôtesse porte un kimono.*

## ALIMENTATION ET CLASSE SOCIALE

La nourriture est symbole de richesse. La nature des aliments consommés par une personne renseigne les autres sur son statut social. Sur ce tableau intitulé *Les Miettes de la table du riche*, les reliefs d'un banquet sont distribués aux pauvres de Londres.

*La tradition de la pièce montée pour les mariages date des années 1850.*

## REPAS DE NOCES

Le repas constitue un moment important de nombreuses fêtes dans le monde. L'une des denrées les plus communes dans les festivités est aussi l'une des plus simples : il s'agit du pain. Le premier gâteau de mariage, au temps des Romains, était un pain que l'on brisait au-dessus de la tête de la mariée en guise de vœu de bonheur. On considérait également que le partage des miettes portait chance.

*Récipient en céramique pour les feuilles de thé*

# ALIMENTATION ET RELIGIONS

Bien que la plupart des nutritionnistes recommandent un régime varié, nombreux sont les peuples dans le monde qui observent des interdits alimentaires d'ordre religieux. Leurs lois peuvent proscrire totalement certains aliments ou bien fixer des règles pour la préparation ou la cuisson des produits. Il existe également des personnes qui choisissent de ne pas consommer certains types d'aliments pour des raisons personnelles. Ainsi, les végétariens excluent la viande de leur nourriture parce qu'ils pensent que c'est meilleur pour leur santé ou parce qu'ils trouvent qu'il n'est pas bien de tuer un animal.

**LA VIANDE HALAL**
Ce boucher du Caire, en Egypte, vend de la viande halal, ce qui signifie que les bêtes ont été abattues en suivant strictement les recommandations de l'islam : on leur tranche la gorge afin qu'elles se vident de leur sang.

*La salade amère symbolise les souffrances du peuple hébreux.*

*L'œuf rappelle aux juifs les sacrifices des temps bibliques.*

*La viande évoque l'agneau sacrifié lors de la première Pâque juive.*

*Le pain azyme symbolise le départ précipité d'Egypte.*

**L'AGNEAU PASCAL**
La plupart des fêtes religieuses sont associées à un certain type d'aliment. Par exemple, les familles juives mangent de l'agneau pour la Pâque en souvenir des agneaux sacrifiés lors de la première Pâque juive. De même, de nombreux chrétiens servent de l'agneau le dimanche de Pâques car c'est le symbole du sacrifice du Christ.

**REPAS DE CÉRÉMONIE**
Les prescriptions alimentaires du judaïsme, connues sous le nom de *casherout*, sont définies dans le livre sacré de la Torah. Certains aliments sont interdits et la viande doit être séparée des produits laitiers. La fête juive de la Pâque est marquée par un repas spécial, le *séder* (à droite), dont chaque élément est symbolique et rappelle l'Exode du peuple hébreux après le départ d'Egypte, où il était esclave.

*Le haroset, mélange de noix et de fruits écrasés, évoque le mortier qu'utilisaient les esclaves juifs pour bâtir les cités.*

*Légumes verts, symboles de printemps et de renouveau de la vie*

*Le raifort est amer comme l'esclavage.*

Hostie

Calice

Gâteaux pour la fête de la fin du Ramadan

Musulmans en prière

**LE SACREMENT DE L'EUCHARISTIE**
Si catholiques, anglicans, orthodoxes et protestants divergent sur certains aspects de la foi et ont des liturgies un peu différentes, ces diverses confessions chrétiennes célèbrent toutes la communion, encore appelée eucharistie (« action de grâce » en grec) : les célébrants boivent une gorgée de vin qui représente le sang de Jésus-Christ et consomment une hostie de pain azyme (sans levain), symbole du corps du Christ.

**UN MOIS DE JEÛNE**
Le neuvième mois du calendrier islamique, les musulmans observent un jeûne appelé Ramadan. Pendant ce mois, ils s'abstiennent de manger du lever au coucher du soleil. C'est à ce moment seulement qu'ils prennent une collation, puis, après les prières du soir, un repas léger. A la fin du Ramadan, ils organisent une grande fête qui dure trois jours.

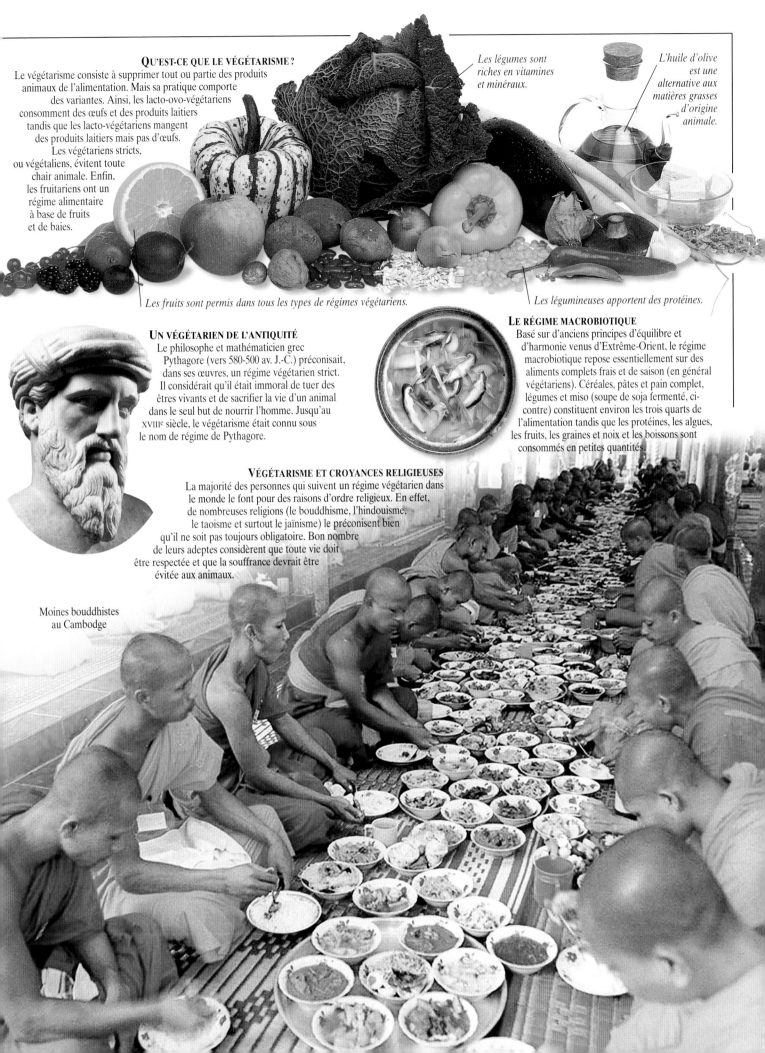

## QU'EST-CE QUE LE VÉGÉTARISME ?

Le végétarisme consiste à supprimer tout ou partie des produits animaux de l'alimentation. Mais sa pratique comporte des variantes. Ainsi, les lacto-ovo-végétariens consomment des œufs et des produits laitiers tandis que les lacto-végétariens mangent des produits laitiers mais pas d'œufs. Les végétariens stricts, ou végétaliens, évitent toute chair animale. Enfin, les fruitariens ont un régime alimentaire à base de fruits et de baies.

*Les légumes sont riches en vitamines et minéraux.*

*L'huile d'olive est une alternative aux matières grasses d'origine animale.*

*Les fruits sont permis dans tous les types de régimes végétariens.*

*Les légumineuses apportent des protéines.*

## LE RÉGIME MACROBIOTIQUE

Basé sur d'anciens principes d'équilibre et d'harmonie venus d'Extrême-Orient, le régime macrobiotique repose essentiellement sur des aliments complets frais et de saison (en général végétariens). Céréales, pâtes et pain complet, légumes et miso (soupe de soja fermenté, ci-contre) constituent environ les trois quarts de l'alimentation tandis que les protéines, les algues, les fruits, les graines et noix et les boissons sont consommés en petites quantités.

## UN VÉGÉTARIEN DE L'ANTIQUITÉ

Le philosophe et mathématicien grec Pythagore (vers 580-500 av. J.-C.) préconisait, dans ses œuvres, un régime végétarien strict. Il considérait qu'il était immoral de tuer des êtres vivants et de sacrifier la vie d'un animal dans le seul but de nourrir l'homme. Jusqu'au XVIIIe siècle, le végétarisme était connu sous le nom de régime de Pythagore.

## VÉGÉTARISME ET CROYANCES RELIGIEUSES

La majorité des personnes qui suivent un régime végétarien dans le monde le font pour des raisons d'ordre religieux. En effet, de nombreuses religions (le bouddhisme, l'hindouisme, le taoisme et surtout le jaïnisme) le préconisent bien qu'il ne soit pas toujours obligatoire. Bon nombre de leurs adeptes considèrent que toute vie doit être respectée et que la souffrance devrait être évitée aux animaux.

Moines bouddhistes au Cambodge

# LES COMPORTEMENTS ALIMENTAIRES

Depuis quelques décennies, la mondialisation, la technologie et le marketing ont modifié radicalement notre attitude face à la nourriture. Aujourd'hui, le consommateur exige des produits bon marché et vite prêts. Mais quel est le prix à payer ? Beaucoup sont inquiets de voir que, pour les multinationales de l'industrie alimentaire, la demande des consommateurs prime sur la sécurité alimentaire et le respect de l'environnement. D'ailleurs, comme dans tous les domaines, cette industrie se sert de la publicité pour influencer nos choix. De nombreux spots publicitaires pour les fast-foods s'adressent directement aux jeunes enfants. La quantité de calories que nous consommons de nos jours est également préoccupante. Les livres sur les régimes se vendent bien tandis que l'obésité et l'anorexie sévissent dans les pays occidentaux.

**LA TENDANCE FAST-FOOD**
Ces beignets tout chauds doivent être vraiment appétissants si l'on en croit les récentes statistiques concernant les fast-foods. En 2004, les consommateurs britanniques ont dépensé 10 milliards de livres (soit 15 milliards d'euros) en hamburgers, poulet frit et frites. Aux Etats-Unis, il s'agit de 113 milliards de dollars (soit 92 milliards d'euros). Le fast-food occupe aujourd'hui la première place dans le marché de l'alimentation.

**DE PLUS EN PLUS LOIN**
Pour répondre à la demande variée des consommateurs, les produits alimentaires voyagent aujourd'hui sur des distances de plus en plus grandes, du lieu de production au lieu de consommation. Mais le transport des denrées a une répercussion sur l'environnement : par exemple, le carburant de ce poids lourd chargé de fruits pollue.

**VITE PRÊT, VITE SERVI !**
On observe dans le monde entier une demande croissante pour les plats préparés préemballés qui se réchauffent et peuvent être mangés rapidement. Ayant subi de nombreuses transformations, ils contiennent parfois trop de sel, de matières grasses et d'additifs. Leur consommation régulière peut générer à long terme des problèmes de poids et de santé.

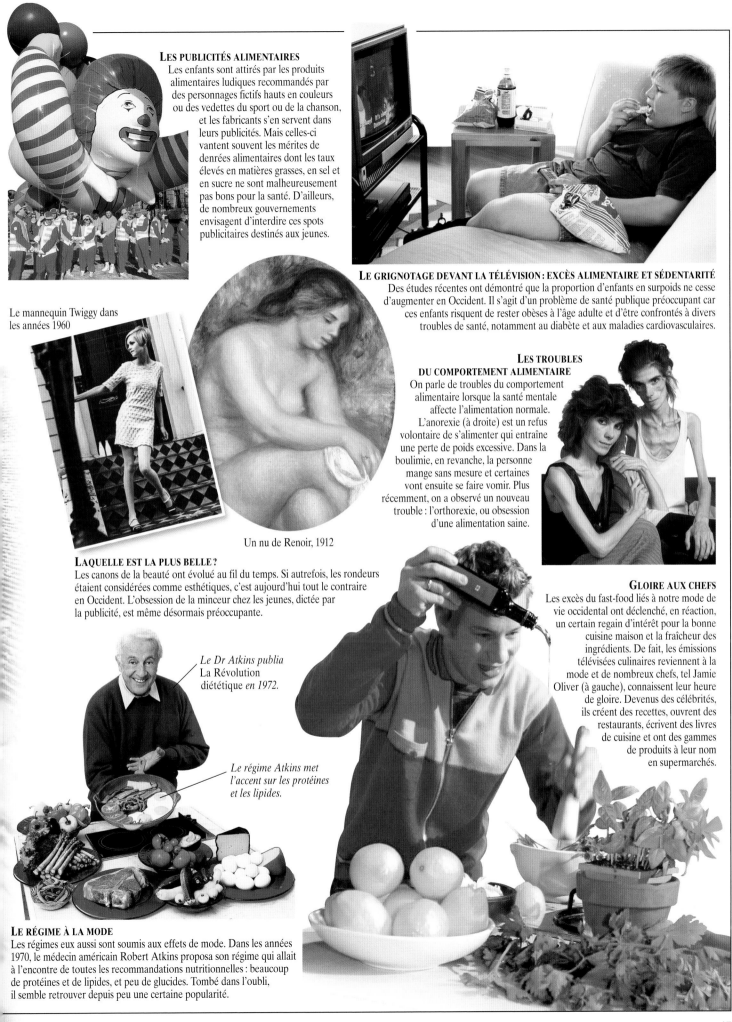

### LES PUBLICITÉS ALIMENTAIRES

Les enfants sont attirés par les produits alimentaires ludiques recommandés par des personnages fictifs hauts en couleurs ou des vedettes du sport ou de la chanson, et les fabricants s'en servent dans leurs publicités. Mais celles-ci vantent souvent les mérites de denrées alimentaires dont les taux élevés en matières grasses, en sel et en sucre ne sont malheureusement pas bons pour la santé. D'ailleurs, de nombreux gouvernements envisagent d'interdire ces spots publicitaires destinés aux jeunes.

### LE GRIGNOTAGE DEVANT LA TÉLÉVISION : EXCÈS ALIMENTAIRE ET SÉDENTARITÉ

Des études récentes ont démontré que la proportion d'enfants en surpoids ne cesse d'augmenter en Occident. Il s'agit d'un problème de santé publique préoccupant car ces enfants risquent de rester obèses à l'âge adulte et d'être confrontés à divers troubles de santé, notamment au diabète et aux maladies cardiovasculaires.

Le mannequin Twiggy dans les années 1960

Un nu de Renoir, 1912

### LES TROUBLES DU COMPORTEMENT ALIMENTAIRE

On parle de troubles du comportement alimentaire lorsque la santé mentale affecte l'alimentation normale. L'anorexie (à droite) est un refus volontaire de s'alimenter qui entraîne une perte de poids excessive. Dans la boulimie, en revanche, la personne mange sans mesure et certaines vont ensuite se faire vomir. Plus récemment, on a observé un nouveau trouble : l'orthorexie, ou obsession d'une alimentation saine.

### LAQUELLE EST LA PLUS BELLE ?

Les canons de la beauté ont évolué au fil du temps. Si autrefois, les rondeurs étaient considérées comme esthétiques, c'est aujourd'hui tout le contraire en Occident. L'obsession de la minceur chez les jeunes, dictée par la publicité, est même désormais préoccupante.

### GLOIRE AUX CHEFS

Les excès du fast-food liés à notre mode de vie occidental ont déclenché, en réaction, un certain regain d'intérêt pour la bonne cuisine maison et la fraîcheur des ingrédients. De fait, les émissions télévisées culinaires reviennent à la mode et de nombreux chefs, tel Jamie Oliver (à gauche), connaissent leur heure de gloire. Devenus des célébrités, ils créent des recettes, ouvrent des restaurants, écrivent des livres de cuisine et ont des gammes de produits à leur nom en supermarchés.

*Le Dr Atkins publia* La Révolution diététique *en 1972.*

*Le régime Atkins met l'accent sur les protéines et les lipides.*

### LE RÉGIME À LA MODE

Les régimes eux aussi sont soumis aux effets de mode. Dans les années 1970, le médecin américain Robert Atkins proposa son régime qui allait à l'encontre de toutes les recommandations nutritionnelles : beaucoup de protéines et de lipides, et peu de glucides. Tombé dans l'oubli, il semble retrouver depuis peu une certaine popularité.

# LES PRODUITS ALIMENTAIRES AGRICOLES

L'homme cultive des végétaux et élève des animaux domestiques afin de produire des denrées alimentaires. Mais les activités agricoles n'ont pas toujours existé. Les peuples primitifs étaient des chasseurs et cueilleurs nomades. Ils se sédentarisèrent au néolithique avec les débuts de l'agriculture afin de rester auprès de leurs récoltes. Celles-ci nourrissant de plus en plus de personnes, les communautés se mirent à croître. De nos jours, les fermiers des pays en voie de développement produisent parfois tout juste assez pour nourrir leur famille tandis que dans d'autres régions du monde, l'agriculture intensive se pratique à grande échelle, assistée par la science et la technologie.

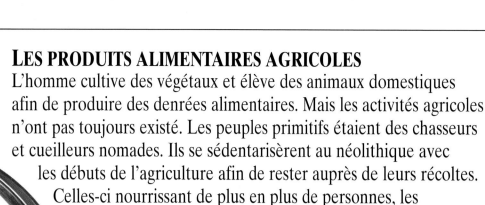

## PEINER POUR LE SEIGNEUR
L'illustration ci-dessus montre des paysans du Moyen Âge cultivant la terre autour du château de leur seigneur. Les différends entre les riches propriétaires terriens et leurs ouvriers pauvres ont marqué l'histoire au cours des siècles. Les inégalités ont toujours engendré des conflits, que ce soit les jacqueries médiévales ou bien de nos jours, les luttes des paysans sans terre dans les pays en voie de développement.

## À LA CHARRUE
Les débuts de l'agriculture ont probablement été hésitants ; les premières pratiques agricoles durent apparaître puis disparaître plusieurs fois en divers endroits avant que les populations ne se sédentarisent véritablement. Par la suite, chaque invention ou amélioration d'un outil, telles la houe et la charrue, changea profondément la vie des agriculteurs.

Pommes de terre

Riz

Maïs

## LES PRINCIPALES CULTURES
Au cours des siècles, l'homme a sélectionné un petit nombre de plantes pour se nourrir. Il existe plus de 300 000 espèces végétales mais 95 % de notre alimentation provient de seulement 30 plantes majeures, dont huit sont des céréales. Aujourd'hui, les principales cultures mondiales sont le blé, le riz, le maïs et les pommes de terre.

Blé

## LES PROGRÈS DE LA MÉCANISATION
Jusqu'à la fin du XIXe siècle, les semailles, la culture et la récolte se faisaient à la main (c'est d'ailleurs toujours le cas dans les pays en voie de développement), avec des bœufs et des chevaux pour animaux de trait. De la première moissonneuse mécanique à la moissonneuse-batteuse, les machines ont rendu le travail de la terre moins pénible. Le cultivateur a aussi gagné en efficacité et en productivité. En 1830, il fallait environ 300 heures de travail pour produire 3 m³ de blé. Aujourd'hui, trois heures suffisent.

### L'IRRIGATION
Depuis les débuts de l'agriculture, l'homme a développé de nombreuses méthodes pour apporter l'eau aux champs, notamment dans les zones arides. Cela va de l'inondation volontaire des terres ou du creusement de fossés pour dévier les rivières, comme ici au Soudan (à gauche), à l'arrosage intensif de l'agriculture moderne à l'aide de canalisations et de machines d'irrigation, l'eau étant pompée dans la nappe phréatique.

### LA PLANTATION DU RIZ
Ces cultivateurs japonais plantent le riz dans des champs inondés. Le riz est une céréale qui nourrit plus de la moitié de la population mondiale et pousse sur tous les continents. Dans certaines langues, le mot « manger » signifie « manger du riz ».

### AGRICULTURE ET PRATIQUES RITUELLES
Ces Indiens Pueblo d'Amérique accomplissent la danse du maïs bleu, célébrant le cycle de croissance du maïs. Nombreux sont les peuples qui, au cours de l'histoire, ont développé des fêtes rituelles pour prier ou rendre grâce pour l'abondance des récoltes. Les Grecs vouaient un culte à Déméter, déesse des moissons, tandis que les Romains faisaient des offrandes à Cérès, déesse de l'abondance, dont le nom a donné naissance au mot « céréale ».

Bière

Crêpes

### LES CÉRÉALES SONT PARTOUT
Les céréales, sous diverses formes, fournissent environ 50 % de toutes les calories consommées dans le monde. Par exemple, le blé peut être transformé en différents pains et pâtes, ainsi qu'en semoule, en boulgour (blé dur concassé) ou en bière.

Pâtes

Houlette
de berger

## L'ÉLEVAGE, UNE HISTOIRE ANCIENNE

L'homme a commencé à domestiquer les animaux il y a environ 10 000 ans pour leur viande ou les produits tels que le lait, les œufs, la laine. Comme la culture des végétaux, cette nouvelle pratique transforma profondément les modes de vie. Les tribus de simples chasseurs-cueilleurs se sédentarisèrent pour former des sociétés plus complexes. Leur alimentation devenue plus riche, les populations se multiplièrent. Grâce à leur force, les bêtes assuraient également le trait et fournissaient de l'engrais sous forme de fumier, des moyens de transport ainsi que des produits pour l'habillement. Aujourd'hui, l'élevage est une activité mondiale très développée.

Coq

### LA DOMESTICATION
Il est possible que l'élevage ait commencé lorsque les premiers agriculteurs ont tenté de contrôler les animaux sauvages qui venaient brouter leurs cultures. La conséquence directe de la domestication a été de faciliter l'approvisionnement en viande. Les animaux les plus simples à domestiquer étaient ceux dont le régime alimentaire était adaptable, qui avaient un tempérament peu agressif et la capacité de se reproduire en captivité.

### UNE ESPÈCE PROLIFIQUE
La poule est l'oiseau le plus répandu sur Terre avec une population globale estimée à 24 milliards d'individus. Sa forme domestique a probablement évolué à partir d'un oiseau originaire de la jungle asiatique. Les agriculteurs l'ont, de tous temps, appréciée pour sa viande, ses œufs et les cris d'alarme qu'elle lance quand un danger approche. Les Chinois consommaient des poulets et des œufs de différentes façons dès 4 000 av. J.-C. Les Egyptiens et les Romains avaient également un faible pour les plats à base de poulet.

### DANS LE COCHON, TOUT EST BON!
Originaire d'Europe, du Moyen-Orient et de certaines régions d'Asie, le porc fut domestiqué il y a environ 6 000 ans. Il est surtout élevé pour sa viande. Selon sa réputation proverbiale, toutes les parties de son corps (ou presque) sont utilisables. Sa peau sert à fabriquer du cuir et ses soies des pinceaux.

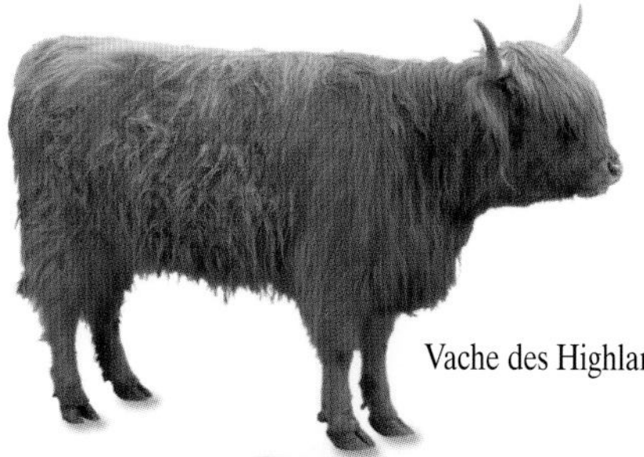

Vache des Highlands

Taureau Angus d'Aberdeen

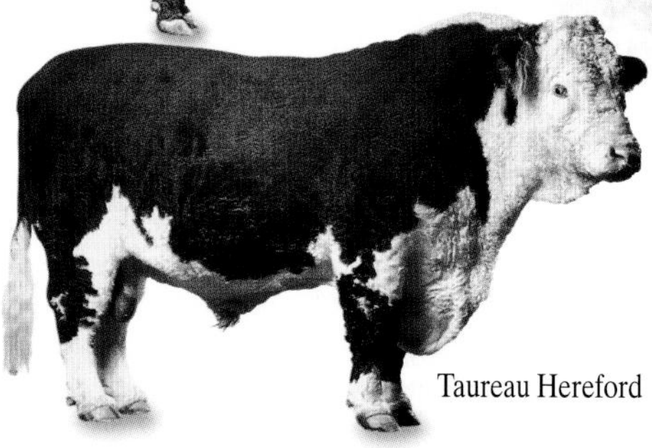

### LES RACES BOVINES
Tous les bovins domestiques descendent de l'aurochs, auquel la vache des Highlands ressemble beaucoup. Ils ont été appréciés de tous temps pour leur viande, le lait qu'ils produisent et comme animaux de trait. On les considère parfois comme la forme de richesse la plus ancienne.

Taureau Hereford

### ÉLEVAGE INTENSIF
L'élevage est l'activité qui occupe le plus d'espace sur la planète et la demande mondiale de viande est en augmentation. Selon l'Organisation des Nations unies pour l'Alimentation et l'Agriculture, le bétail contribue à faire vivre 70 % des populations rurales pauvres. Mais l'élevage intensif a des répercussions sur l'environnement. En Californie (ci-dessus), les grands troupeaux tassent le sol, ce qui détruit les milieux et rend ensuite la culture moins facile. De plus, leurs déjections polluent les terrains en surface et l'eau des nappes phréatiques.

**UNE FORTE DEMANDE**
La croissance de la population
et l'élévation du niveau de vie
sont deux des facteurs ayant
contribué à l'augmentation
de la demande de viande.
Dans le même temps, on se
préoccupe aussi davantage
de la transmission à l'homme
des maladies des animaux.

**L'ALIMENTATION ET LES REJETS DU BÉTAIL**
Pour produire dans de bonnes conditions, les animaux
d'élevage ont besoin de manger et de boire. Un agriculteur
doit réserver une partie de ses terres pour cultiver les
végétaux qui nourriront son bétail. De plus, les déjections
animales doivent être gérées correctement.

**LES SCIENCES DE L'ANIMAL D'ÉLEVAGE**
Les débuts de la domestication sont mal connus, mais on
sait que les Romains pratiquaient déjà l'élevage sélectif
des animaux. Aujourd'hui, cette pratique est devenue une
science et une branche à part entière de l'agronomie,
dans laquelle le vétérinaire (ci-contre) joue désormais un
rôle majeur. L'élevage en batterie ou en stabulation
nécessite un suivi vétérinaire
constant des animaux.

**DRÔLE DE BÉTAIL !**
Dans de nombreux pays, la demande en viande
exotique a explosé car le consommateur
recherche de nouvelles sources de protéines
de grande qualité et pauvres en lipides.
C'est ainsi que des éleveurs se sont
tournés vers des animaux inhabituels :
autruches (à droite), bison,
élan et lama.

# LES PRODUITS LAITIERS

Les exploitations laitières, où l'on élève des vaches pour produire du lait et ses dérivés comme le beurre et le fromage, se rencontrent généralement sur des terres bien arrosées (le lait étant constitué d'eau à 87 %). On pense que l'homme a commencé à traire les vaches vers 3 000 av. J.-C. Depuis 1850, l'invention de trayeuses automatiques et les progrès technologiques ont contribué à la modernisation des fermes et à l'augmentation de la production de lait. Celui-ci est apprécié comme aliment complet renfermant presque tous les nutriments nécessaires à la santé : c'est la raison pour laquelle il joue un grand rôle dans l'alimentation de l'enfant.

**LOUIS PASTEUR (1822–1895)**
Ce chimiste français de renom a inventé un procédé consistant à chauffer les aliments afin de détruire les bactéries pathogènes : la pasteurisation. La majorité des produits laitiers commercialisés sont aujourd'hui pasteurisés sans que cela affecte leur valeur nutritionnelle. On prolonge ainsi leur durée d'utilisation et on peut les consommer en toute confiance.

**LA LIVRAISON DU LAIT**
Elle a commencé à la fin du XIXe siècle, époque où de plus en plus de gens partaient s'installer en ville. Cette photographie de 1902 montre des bidons de lait chargés sur une voiture à cheval. Celle-ci allait ensuite de maison en maison où chacun faisait remplir son « pot au lait ».

*Le lait de chèvre peut se boire ou servir à la fabrication de fromage.*

*Tout ou partie des matières grasses du lait peuvent être prélevées pour obtenir du lait écrémé ou demi-écrémé.*

*Certains yaourts contiennent des bactéries bénéfiques : les probiotiques.*

**DE VACHE OU DE CHÈVRE ?**
Environ 90 % du lait consommé dans le monde sont fournis par les vaches. Le reste vient des chèvres, des bufflonnes, des brebis, des rennes, des yacks et autres ruminants. Dans certaines régions, on préfère le lait de chèvre à celui de vache. Il est plus facile à digérer car les protéines forment un caillé plus mou que celui du lait de vache et les globules de lipides ne s'agglomèrent pas.

**LES PRODUITS LAITIERS**
La majorité du lait produit dans le monde est vendue comme boisson. Le reste est transformé en produits laitiers : crème, beurre, babeurre, fromage, yaourt, lait concentré et en poudre, lait maternisé, glaces et, dans certains pays, en crème fermentée.

*Fromage de chèvre aux herbes aromatiques*

*La mozzarella traditionnelle est faite à partir de lait de bufflonne.*

**UN OCÉAN DE LAIT**
Une seule vache peut produire 90 verres de lait par jour. Des estimations évaluaient la production mondiale de lait de vache en 2004 à environ 516 millions de tonnes et la demande ne cesse de croître, surtout dans les pays en voie de développement. Avec 25 % de la production mondiale, l'Union européenne est le plus gros producteur de lait. Les Etats-Unis, quant à eux, en produisent 15 %.

*La crème était placée dans la baratte fermée.*

*Glaces dans une gelatteria italienne*

*La manivelle permettait de tourner la baratte pour battre la crème.*

### LA FABRICATION DU BEURRE
La technique de fabrication du beurre est la même depuis des millénaires. La crème est placée dans un récipient fermé dans lequel elle est barattée (battue) jusqu'à ce que les grains de beurre se rassemblent en motte. Le babeurre, liquide, est évacué, puis le beurre est lavé avant d'être mis dans un moule.

Ancienne baratte en bois

### DE PURES GOURMANDISES
L'un des plus délicieux produits laitiers, la glace, fut inventé en Italie au XVIᵉ siècle. Il en existe de différentes sortes ; elle est faite à partir de lait ou de crème mélangée à du sucre et des arômes. Le mélange est remué pendant le refroidissement afin d'éviter la formation de cristaux de glace.

### LA FABRICATION DU FROMAGE
Les nombreuses sortes de fromage sont fabriquées en ajoutant au lait des bactéries qui le font fermenter, puis en le faisant cailler avec une enzyme, la présure, enfin en le séparant du petit lait, le liquide qui se forme autour du caillé. Le fromage frais peut être affiné (ci-dessus) ou bien ensemencé par pulvérisation ou injection avec des champignons ou des bactéries pour obtenir diverses saveurs.

### À CHACUN SES PÂTURAGES
A la différence de nombreuses autres denrées alimentaires, le lait est en général produit dans le pays plutôt qu'importé de l'étranger. Les principaux pays producteurs de lait, comme le Danemark, la France et la Suisse (ci-dessus), ont établi des règlements commerciaux afin de réguler la concurrence.

# LE POISSON ET LES FRUITS DE MER

Partout dans le monde, on consomme de nombreuses sortes de poissons et des fruits de mer ainsi que des plantes marines comme la laitue de mer et l'algue nori. Ce sont des sources de protéines appréciées. Les produits marins sont également riches en iode et les arêtes des sardines, par exemple, sont une bonne source de calcium, de phosphore et de fluor. Les poissons gras ont, quant à eux, un effet bénéfique sur le cœur. De nos jours, la majorité des poissons sont capturés par la pêche commerciale et industrielle, la prise annuelle mondiale dépassant 100 millions de tonnes. Enfin, l'aquaculture permet d'élever des poissons de façon intensive. C'est une industrie alimentaire qui connaît un fort taux de croissance.

## LA PÊCHE AUTREFOIS

Depuis la préhistoire, l'homme pêche pour se nourrir. Des scènes de pêche ornent des tombes égyptiennes et sont rapportées aussi dans la Bible. Pour attraper le poisson, les peuples primitifs utilisaient des massues, des lances et des filets en fibres végétales ou en laine, et même parfois leurs mains nues. Les hameçons taillés dans le bois et l'os apparurent il y a environ 20 000 ans.

Crevette

Moules

Homard

Paella

## DES DÉLICES DE FRUITS DE MER

Des sushis à la soupe aux ailerons de requin, les mets à base de poisson, de crustacés et d'algues font la renommée des cuisines régionales depuis des siècles. La demande en fruits de mer est en forte hausse de nos jours, d'autant plus que les produits de la mer ne sont plus une denrée uniquement locale et saisonnière. Les fruits de mer sont pêchés et transformés sur place avant d'être envoyés vers les marchés du monde entier.

Calmar

Sauté de homard

## LA DIVERSITÉ DES ANIMAUX MARINS

On appelle « fruits de mer » tous les animaux marins comestibles à l'exclusion des poissons. On y trouve donc les mollusques tels que le poulpe, le calmar, les moules, les coquilles Saint-Jacques, et les crustacés comme le homard, les crevettes et les crabes. Ce sont d'excellentes sources de protéines et de minéraux, riches en vitamines du groupe B et pauvres en lipides. Beaucoup de coquillages sont également appréciés mais certains peuvent être infectés par des bactéries ou des produits chimiques provenant de la pollution de la mer par les déchets industriels.

Crabe

Truite à la
marocaine

Truite

Saumon d'eau
douce

Sushi au saumon

## LES POISSONS D'EAU DOUCE

Ce sont tous les poissons pêchés dans les lacs, les étangs et les cours d'eau. Certains, comme la carpe et le brochet, passent toute leur vie dans l'eau douce. D'autres, comme le saumon et la truite, sont anadromes, ce qui signifie qu'ils se reproduisent en eau douce mais migrent vers la mer pour passer une partie de leur vie dans l'eau salée.

*Les algues se mangent en salade.*

## L'AQUACULTURE

L'aquaculture est considérée par certains comme une solution à la raréfaction des poissons sauvages. Mais il existe des controverses car le saumon d'élevage peut avoir reçu des antibiotiques et un colorant rose. Il peut aussi être contaminé par une nourriture concentrée faite à partir de poissons vivant en milieu pollué.

## LA MARICULTURE

Cette activité consiste à élever des plantes marines dans leur habitat naturel. Les algues sont riches en iode et en éléments minéraux. La nori est une algue bien connue car elle sert à envelopper les sushis.

## LA PÊCHE INDUSTRIELLE

Cette pêche intensive est aujourd'hui confrontée dans le monde entier à un problème grave : la surexploitation des ressources. Les navires de pêche actuels sont équipés pour remonter et transformer des quantités considérables de poisson mais ces bateaux sont trop nombreux et les volumes capturés sont excessifs. Les populations de poissons sont en voie d'épuisement tandis que les nations s'opposent pour continuer à exercer pleinement leur droit de pêche !

# LA SÉCURITÉ ALIMENTAIRE

Les procédés modernes de production des denrées alimentaires comportent un certain nombre de risques potentiels pour la santé. C'est pourquoi les consommateurs sont devenus aujourd'hui plus attentifs à ce qu'ils mangent. Résidus de pesticides, de médicaments ou d'hormones administrés au bétail, microbes et parasites, mercure et autres métaux lourds, tout cela peut se retrouver dans notre assiette. On nous dit qu'il faut accepter une certaine proportion de produits chimiques puisque l'élevage et l'agriculture reposent sur ceux-ci. Mais quels sont les taux acceptables sans danger ? Et lorsque ces molécules synthétiques s'accumulent dans nos tissus, quel est l'effet à long terme sur la santé ? Les épisodes de maladie de la vache folle et de grippe aviaire nous sensibilisent un peu plus à la sécurité alimentaire.

*Zones malades*

**LA MALADIE DE CREUTZFELDT-JACOB**
Voici l'IRM du cerveau d'un jeune homme souffrant de la maladie de Creutzfeldt-Jacob, aujourd'hui décédé. On pense que cette maladie peut être due à la consommation de viande provenant de vaches infectées par l'encéphalopathie spongiforme bovine, ou ESB. L'ESB, aussi appelée maladie de la vache folle, est causée par un agent infectieux, le prion, qui s'accumule dans le cerveau et la moelle épinière des bêtes infectées. Elle est apparue depuis que des bovins ont été nourris de farines de carcasses de moutons malades.

*Oies et poulets partent au marché entassés dans des paniers.*

**LES HORMONES DE CROISSANCE**
On injecte aux animaux des hormones de croissance afin d'accroître leur production de viande ou de lait. Mais on se demande aujourd'hui si ces hormones ne sont pas dangereuses pour les bêtes et aussi pour les hommes qui consommeront leur viande.

**LES REJETS INDUSTRIELS**
La contamination des fruits de mer par des polluants industriels est préoccupante et pose le problème de leur salubrité. Ici, des Japonais manifestent contre une société accusée d'avoir rejeté du mercure dans la baie de Minamata au cours des années 1950 et 1960. Les fruits de mer pollués avaient empoisonné des milliers de personnes, dont certaines mortellement.

**LES PRODUITS PRÉ-EMBALLÉS**
Les matériaux d'emballage tels que le film étirable et les barquettes en polystyrène contribuent à la sécurité alimentaire en protégeant et conservant les aliments frais. Cependant, comme ils peuvent éventuellement contaminer la nourriture de résidus de produits chimiques, ces matériaux d'emballage doivent être conformes à la réglementation en vigueur concernant la salubrité alimentaire.

**LES COLORANTS ALIMENTAIRES**
Pour mieux séduire le consommateur, des colorants artificiels sont ajoutés à bon nombre d'aliments, notamment les bonbons et autres produits destinés aux enfants. Mais on s'interroge sur l'innocuité de ces additifs à haute dose. On sait en effet aujourd'hui que certains colorants peuvent être à l'origine de troubles du comportement chez l'enfant.

**TROP CONFINÉS POUR ÊTRE HEUREUX**
Quand on entasse les animaux dans un espace restreint, le risque de transmission de bactéries et de virus augmente. Les personnes peuvent aussi être infectées au contact de ces bêtes. C'est ainsi qu'en 2003, la grippe aviaire, souche de grippe particulièrement dangereuse qui se transmet de l'animal à l'homme, a commencé à frapper l'Extrême-Orient.

### DES BACTÉRIES DANS LES ALIMENTS

Les bactéries pathogènes sont responsables de maladies allant de l'empoisonnement alimentaire à certains types de cancer. Les pires sont *Salmonella*, *Campylobacter*, *Escherichia coli* et *Clostridium botulinum*. Une étude réalisée en 2002 a révélé la présence de la bactérie *Campylobacter* dans la moitié des poulets crus mis en vente au Royaume-Uni.

*Escherichia coli contamine le bœuf et le lait.*

*Escherichia coli*

*Bactéries (en jaune)*

*Des flagelles permettent aux bactéries de se déplacer.*

*Campylobacter jejuni*

*Salmonella enteritidis*

### DES MICROBES DANS LA NOURRITURE

Partout où l'on produit de la nourriture, où on la transforme et la stocke, des micro-organismes sont présents : virus, levures, moisissures, bactéries et parasites. S'ils ne nous rendent pas malades lorsqu'ils sont peu nombreux, ils représentent une menace pour la santé dès qu'ils se multiplient. C'est la raison pour laquelle la viande est stockée en chambre froide dont la température est vérifiée régulièrement.

### LES TOXINES DES MOISISSURES

Les moisissures sont des champignons vivant sur les plantes et les animaux. Elles forment quelques taches en surface mais s'enracinent profondément à l'intérieur de l'aliment. Certains types de moisissures peuvent nous rendre malades. C'est le cas de l'aflatoxine qui se développe sur les arachides (à droite) et sur le maïs jaune : on sait qu'elle provoque des cancers chez les animaux.

### LES TRAITEMENTS AUX PESTICIDES

Les risques associés à l'emploi des pesticides ne sont pas encore totalement connus. Si les rapports indiquent que, dans la plupart des cas, les taux de ces produits présents dans les aliments restent dans les limites de l'acceptable, de nombreux experts affirment qu'il est impossible de prédire les dangers de « l'effet cocktail » (impact d'un mélange de pesticides) sur notre santé à long terme. Des études récentes avancent qu'ils seraient responsables de leucémies et de cancers du cerveau, ainsi que de l'augmentation des cancers chez les agriculteurs.

# LA CONTROVERSE SUR LES OGM

Les organismes génétiquement modifiés, ou OGM, sont les premiers produits agricoles issus de la biotechnologie. Dits également « transgéniques », ils sont créés en modifiant le matériel génétique des cellules d'un être vivant dans le but de lui ajouter une caractéristique souhaitée. Le gène modifié peut provenir d'un représentant de la même espèce ou bien d'une espèce totalement différente.

Par exemple, pour obtenir une tomate qui résiste au gel, on peut lui apporter un gène provenant d'une autre variété de tomate supportant le froid ou bien celui d'un poisson vivant en eau très froide.

Les OGM suscitent un vif débat ; si, aux États-Unis, la majorité des consommateurs les ont acceptés, dans l'Union européenne, leur culture et leur utilisation alimentaire sont plus réglementées.

**LE PÈRE DE LA GÉNÉTIQUE**
Gregor Mendel (1822-1884) était un moine autrichien qui découvrit les lois fondamentales de l'hérédité. De 1858 à 1866, en faisant pousser des pois dans le jardin de son monastère, il remarqua que certaines caractéristiques, comme la forme de la gousse ou la couleur de la fleur, se transmettaient des plants « parents » aux descendants. Bien qu'il soit aujourd'hui considéré comme le père de la génétique, les travaux de Mendel n'ont eu de retentissement que longtemps après sa mort.

*Tomates ordinaires*

*Tomates transgéniques*

*Les fruits trop mûrs sont difficiles à transporter et à vendre.*

*Plantules obtenues à partir d'une unique cellule*

**LES CULTURES D'OGM EN AUGMENTATION**
Une étude mondiale réalisée en 2004 a montré que les plantations d'OGM représentent 67,7 millions d'hectares. Sept millions d'agriculteurs cultivent des OGM dans 18 pays différents mais on estime que 99 % de ces cultures sont concentrées dans six pays : les Etats-Unis, l'Argentine, le Canada, la Chine, le Brésil et l'Afrique du Sud. Les OGM les plus répandus sont le soja, le maïs, le coton et le colza.

*Jeunes plants de tomate Flavr Savr*

**DES TOMATES DE LONGUE CONSERVATION**
Au début de 1994, la Food and Drug Administration (FDA) des Etats-Unis annonçait que la *Flavr Savr* ne présentait pas plus de danger pour la santé que les tomates ordinaires. Cette variété de tomate avait été génétiquement modifiée pour rester intacte plus longtemps pendant la récolte et le transport. Elle fut le premier produit frais génétiquement modifié à être vendu dans le monde.

*Ce maïs a été génétiquement modifié pour tolérer les herbicides.*

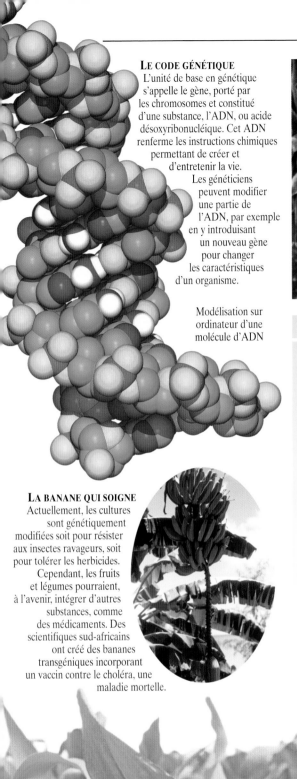

## LE CODE GÉNÉTIQUE
L'unité de base en génétique s'appelle le gène, porté par les chromosomes et constitué d'une substance, l'ADN, ou acide désoxyribonucléique. Cet ADN renferme les instructions chimiques permettant de créer et d'entretenir la vie.

Les généticiens peuvent modifier une partie de l'ADN, par exemple en y introduisant un nouveau gène pour changer les caractéristiques d'un organisme.

Modélisation sur ordinateur d'une molécule d'ADN

## LA BANANE QUI SOIGNE
Actuellement, les cultures sont génétiquement modifiées soit pour résister aux insectes ravageurs, soit pour tolérer les herbicides. Cependant, les fruits et légumes pourraient, à l'avenir, intégrer d'autres substances, comme des médicaments. Des scientifiques sud-africains ont créé des bananes transgéniques incorporant un vaccin contre le choléra, une maladie mortelle.

## LES POLLENS, UN DANGER ?
Une des préoccupations suscitées par les cultures transgéniques est le danger de pollinisation croisée avec des plants non transgéniques. Les insectes, les oiseaux et le vent peuvent transporter des graines et du pollen issus de plants modifiés vers les champs voisins, voire au-delà. Si cette pollinisation croisée a lieu, les OGM se répandront et deviendront incontrôlables.

Pollen de coton vu au microscope

## DE VIVES RÉACTIONS
Dans de nombreuses régions du monde, les OGM soulèvent de vifs débats pour les raisons énumérées ci-dessous. Ces militants écologistes sont en train de détruire un champ expérimental de colza transgénique dans le comté d'Oxford, au Royaume-Uni.

### ARGUMENTS EN FAVEUR DES OGM

• Les OGM pourraient entraîner une réduction de l'emploi des pesticides car les plants transgéniques résistent aux insectes.

• Les OGM pourraient être cultivés là où les cultures conventionnelles échouent.

• Les fruits et les légumes pourraient servir à la vaccination.

• Les OGM pourraient nourrir une population en augmentation.

• Les OGM pourraient améliorer la prospérité des pays en voie de développement.

• 40 % des cultures mondiales sont perdus annuellement à cause des ravageurs, des maladies et des aléas climatiques. Les OGM limiteraient ces pertes.

• Les OGM pourraient améliorer nos aliments, leur goût, allonger leur durée de vie et en renforcer la valeur nutritionnelle.

• L'agriculture intensive a des effets destructeurs sur les milieux. Les OGM pourraient offrir une solution pour une meilleure gestion des espaces.

### ARGUMENTS CONTRE LES OGM

• Des tests sanitaires à long terme font défaut et on ne sait pas quelles conséquences ces aliments auront sur notre santé ou sur l'environnement.

• La pollution génétique est irréversible. Une fois installée, on ne peut s'en débarrasser.

Graines de panais

• Les OGM peuvent renfermer des allergènes inconnus à ce jour.

• Les graines d'une plantation OGM étant, à l'origine, toutes identiques, en cas d'attaque par un champignon ou un ravageur, c'est toute la plantation qui sera perdue.

• Les industriels de la biotechnologie s'intéressent surtout aux cultures OGM qui sont sources de profit (maïs, coton et soja) plutôt qu'au riz et au manioc qui pourraient résoudre le problème de la faim en Afrique.

• Les cultivateurs ont l'habitude de prélever des graines d'une récolte pour semer l'année suivante. Avec les plants OGM, cela n'est pas possible ; contraints à racheter tous les ans de nouveaux semis, ils deviendraient dépendants des industriels de la biotechnologie.

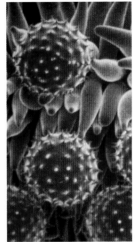

Epi de maïs transgénique

# LE DÉVELOPPEMENT DES PRODUITS BIOLOGIQUES

Les produits biologiques doivent répondre à des exigences définies à l'échelon européen. Ils doivent être issus de modes de production qui n'emploient aucun pesticide ni engrais chimiques et, dans le cas de l'élevage, aucune hormone ni antibiotique. Selon le type de culture, les terres doivent être cultivées de façon biologique pendant deux ou trois ans avant l'obtention du label « bio ». Ce label est délivré à l'agriculteur, à l'entreprise de transformation ou à l'importateur par un organisme certificateur dépendant du ministère de l'Agriculture. Le « bio » représente seulement 1 à 2 % des ventes mondiales, mais c'est le secteur alimentaire qui connaît la plus forte expansion. Depuis quelques années, en effet, le consommateur, s'interrogeant sur la sécurité alimentaire face à la pollution de l'environnement et aux OGM, s'intéresse davantage aux aliments biologiques.

**LES CULTURES ASSOCIÉES**
De nombreuses plantes produisent, dans leurs racines, fleurs ou feuilles, des substances qui attirent ou repoussent certains insectes. Planter d'autres végétaux à leurs côtés permet de faire profiter ces derniers de ces effets bénéfiques sans recourir aux pesticides.

**DES PIONNIERS DANS LEUR CHAMP**
Pionniers de l'agriculture biologique, l'auteur et éditeur américain J.I. Rodale (1898-1971) et son épouse Anna firent la démonstration de pratiques agricoles qu'ils avaient élaborées pour augmenter la fertilité des sols. Ils popularisèrent le « bio » aux Etats-Unis dès les années 1940. D'autres, comme Pierre Rabhi, en France et en Afrique, œuvrent aussi de longue date à promouvoir cette alternative.

**LE COMPOST, ENGRAIS NATUREL**
Le compost est un excellent engrais naturel utilisé par les agriculteurs biologiques pour amender les sols. Il est composé de végétaux qu'on a laissés se décomposer naturellement sous l'action des insectes, des vers de terre, des bactéries et des champignons. Tout en fertilisant et en nourrissant le sol, le compost permet également de recycler les déchets végétaux comme les tontes de gazon et les feuilles en automne.

*Tiges et feuilles de rhubarbe introduites dans un tas de compost*

**LES MÉTHODES TRADITIONNELLES**
Au lieu d'être en cage, ces poulets ont un régime biologique et évoluent en toute liberté, en plein air et au soleil. C'est ainsi que les choses se passaient dans une ferme traditionnelle du début du XXe siècle. En fait, en matière d'agriculture et d'élevage biologiques, de nombreuses de pratiques se rapprochent des méthodes de production qui existaient avant la modernisation massive, mais sont enrichies par les progrès des connaissances scientifiques actuelles.

## DONNER LE CHOIX AU CONSOMMATEUR

On trouve désormais les aliments biologiques dans les supermarchés et les boutiques. Certains magasins se sont même spécialisés dans ce type de produits. Pour bon nombre de personnes, les denrées biologiques ont plus de goût que les autres.

*Des produits frais et de saison livrés à domicile*

## DES PRODUITS FRAIS ET CITOYENS

Des concepts innovants tels que les programmes CSA (Agriculture supportée par la Communauté) aux Etats-Unis contribuent à apporter au particulier des produits biologiques. En France, l'Alliance Paysans-Ecologistes-Consommateurs est une association à but non lucratif qui soutient le développement des produits CSA en mettant en place des partenariats entre le citoyen et le monde rural. Le réseau des jardins de Cocagne, par exemple, en fait partie : des personnes en difficulté d'insertion cultivent des jardins biologiques collectifs et distribuent leurs légumes une fois par semaine aux adhérents.

## LÉGISLATION ET ÉTIQUETAGE

En Europe, les producteurs doivent se conformer à une réglementation stricte en matière d'étiquetage. Cependant, même des produits biologiques contiennent parfois quelques ingrédients non biologiques, car les aliments ne sont pas tous disponibles en version « bio ». Dès qu'un produit est biologique à 95 %, il peut être étiqueté comme tel. Si seulement 70 à 95 % des ingrédients sont biologiques, la mention « biologique » n'apparaîtra que dans la liste des ingrédients.

## LE BIO POUR BÉBÉ

Certains parents préfèrent nourrir leurs enfants avec des produits biologiques afin de leur éviter de consommer des résidus chimiques que l'on trouve dans les autres aliments. En effet, les règlements concernant la quantité de résidus de pesticides autorisée dans les aliments ordinaires se basent sur des taux acceptables pour les adultes uniquement.

*La demande en aliments biologiques pour bébés est en hausse.*

## L'INTÉRÊT DU BIO

Les preuves scientifiques que les produits biologiques contiennent plus de vitamines et de principes actifs aux propriétés bénéfiques commencent à se multiplier, comme dans le cas de l'ail, par exemple. Les avantages de l'agriculture biologique sur l'environnement ont également été démontrés. Elle ne pollue plus le sol par les pesticides et la biodiversité (diversité des espèces végétales et animales) est protégée.

Ail biologique

## LA FAIM DANS LE MONDE

La population mondiale, qui est maintenant de 6 milliards d'êtres humains, devrait atteindre 9 milliards en 2050. Comment parviendrons-nous à nourrir tout le monde sans pour autant sacrifier l'environnement ? Ceux qui pratiquent une agriculture intensive affirment que leurs méthodes sont celles qui produiront le plus dans l'espace disponible. Pour les agriculteurs biologiques, cette solution ne peut que mener à la destruction des terres et repousser le moment où nous mourrons tous de faim, seule la voie du biologique étant capable de maintenir la fertilité du sol.

D'autres plaident pour la formation des agriculteurs des pays en voie de développement pour qu'ils accèdent à la technologie moderne. Mais avant tout, il faudrait parvenir à un partage équitable de la nourriture sur Terre.

### LES FAMINES DANS L'HISTOIRE
Les famines surviennent lorsqu'un pays ou une région n'a plus suffisamment de nourriture ou de ressources pour alimenter ses populations. Ce problème n'est pas nouveau ! Il était si répandu dans les temps anciens que l'un des quatre cavaliers de l'Apocalypse, dans la Bible (ci-dessus), s'appelle Famine.

### UNE PÉRIODE CRITIQUE
Les pénuries alimentaires sont terribles pour tout le monde mais certains groupes sont plus touchés que d'autres, notamment les femmes enceintes, les jeunes mères et leurs enfants, les vieillards. Les enfants qui sont affaiblis par la faim, comme ce petit Soudanais, sont très vulnérables aux maladies.

### LES PÉNURIES ALIMENTAIRES
Ces Soudanais dans un camp de réfugiés font la queue pour obtenir des provisions distribuées par le Programme Alimentaire Mondial (PAM). Bien que la Terre produise assez pour nourrir tous les hommes qui l'habitent, plus de 800 millions de personnes, soit 13 % de la population mondiale, se couchent affamés tous les soirs et 24000 meurent chaque jour de la faim ou de ses conséquences. Et ces chiffres sont en augmentation. La faim dans le monde reste le premier défi pour l'humanité.

### LA FAIM DANS LES SITUATIONS D'URGENCE
La pauvreté, la guerre et les troubles de l'ordre civil, mais aussi les catastrophes naturelles peuvent être à l'origine de pénuries alimentaires. Inondations, sécheresses, destructions de récoltes, ouragans et séismes (comme ici dans la ville de Mexico dévastée, en 1985) créent des disettes soudaines. Les résultats de nombreuses années de développement – routes et ponts, écoles et hôpitaux – sont parfois balayés en quelques minutes.

## L'AIDE ALIMENTAIRE

Les pays qui produisent un excédent de denrées alimentaires peuvent offrir leur concours aux autres nations, par le biais d'organismes gouvernementaux ou privés. Cette aide alimentaire se présente soit sous la forme de bourses ou de prêts afin de faciliter les achats par les pays en voie de développement, soit en livrant directement des produits comme le fait ici l'Action humanitaire française en Somalie.

*Le rat des moisson fait son nid dans les blés.*

Rat des moissons

## L'AGRICULTURE INTENSIVE

Une des solutions envisagées pour régler la crise alimentaire mondiale est de produire plus grâce à l'agriculture et à l'élevage intensifs (comme les poules en batterie, ci-dessus). Mais les experts sont divisés sur les moyens à employer, afin de concilier les exigences d'un marché en expansion et le respect de l'environnement.

## LES PRÉJUDICES À LA FAUNE SAUVAGE

Les défenseurs de l'agriculture intensive affirment que les machines et les cultures transgéniques sont la meilleure solution pour produire plus. Mais les effets sur l'environnement d'un surdéveloppement de l'agriculture ne sont pas connus. Beaucoup d'espèces animales sont déjà menacées d'extinction, comme le rat des moissons, à cause des moissonneuses-batteuses.

## LA FORMATION

Le partage du savoir est l'un des moyens d'aider les agriculteurs des pays en voie de développement. La formation et l'accès à la technologie peuvent permettre, à long terme, de nourrir ceux qui ont faim. Ces agriculteurs somaliens et leur formateur réfléchissent à diverses solutions pour faire redémarrer l'agriculture dans leur village.

## DES INFORMATIONS PASSIONNANTES

Jeune Thaïlandais croquant un insecte

Les insectes sont consommés dans de nombreux pays. Les plus appréciés sont les termites, les sauterelles, les criquets et les chenilles. La plupart des insectes sont riches en protéines et pauvres en lipides.

Les vers de terre sont riches en protéines et contiennent des lipides bénéfiques pour le cœur.

La fourmi à miel d'Australie stocke du miel dans son abdomen qui se gonfle. On peut le consommer en croquant l'insecte à belles dents.

Le poisson pourri est consommé de longue date par l'homme. Les Romains utilisaient le *garum* (intestins de poissons putréfiés dans de la saumure) en assaisonnement. Dans la Chine ancienne, on laissait pourrir le poisson dans du lait pour faire le *cha*. Les Norvégiens enfouissent des truites plusieurs mois dans du sel et du sucre pour faire le *rakorret*. Les Vietnamiens fabriquent la sauce *nuoc mam* en faisant une saumure de poissons dans laquelle ces derniers se digèrent dans leurs sucs gastriques.

Les nids qui servent à fabriquer la fameuse soupe aux nids d'hirondelles, appréciée des connaisseurs dans le monde entier, viennent d'une minuscule région d'Asie du Sud-Est. Faits de la salive durcie des oiseaux, leur récolte est périlleuse car les nids ne peuvent être atteints qu'en grimpant sur des lianes et des bambous.

Nids d'hirondelles

La récolte des nids d'hirondelles

Les cowboys américains préparaient le café en le plaçant, moulu, dans une chaussette qu'ils mettaient à bouillir dans de l'eau.

De tous temps, le sel a été une denrée précieuse. L'Empire romain l'utilisait même comme monnaie d'échange. C'était un luxe souvent taxé ; ainsi, la grande muraille de Chine a été en partie payée par les taxes du monopole d'Etat sur le sel. Sous l'Ancien Régime, en France, le sel était frappé d'un impôt, la gabelle, qui a entraîné la contrebande des faux sauniers et plusieurs soulèvements populaires.

Dans la Chine antique, certains mangeaient des jeunes rats vivants et les Romains élevaient des loirs pour leurs collations. Les Incas consommaient des cochons d'Inde et des écureuils. Les opossums et les rats musqués sont cuisinés traditionnellement dans quelques régions d'Amérique et du Canada.

Durant les grandes explorations de la fin du XVe siècle au début du XIXe, les marins en manque de viande fraîche mangeaient des rats.

Lors des riches banquets au Moyen Age, on déposait parfois sur la table devant les convives un paon ou un cygne paraissant vivant. La volaille avait été tuée, écorchée avec soin pour ne pas abîmer les plumes, cuite puis remise dans sa peau. Son bec et ses pattes étaient même parfois recouverts d'or. Des oiseaux vivants étaient parfois placés dans une pâte cuite afin qu'ils s'envolent au moment où on la découpait.

Le cannibalisme a été pratiqué par l'homme à diverses époques de l'Histoire et dans diverses régions du monde. Lors des sacrifices aztèques, le cœur de la victime était offert aux dieux, le reste du corps étant découpé, cuit avec du maïs et du sel avant d'être mangé. Il ne s'agissait toutefois pas d'un repas ordinaire ; il avait lieu dans le cadre strict d'une cérémonie religieuse.

Les premiers colons européens qui s'établirent en Amérique subirent des périodes de cruelles pénuries alimentaires. Lors de la grande famine de 1609-1610, le capitaine John Smith raconta que l'un des colons avait résolu de manger sa femme et que l'homme fut exécuté quand on découvrit son crime. Mais il était également fréquent de déterrer des cadavres dans les cimetières pour se nourrir.

On connaît d'autres cas de personnes ayant été contraintes au cannibalisme dans des situations désespérées : par exemple l'expédition polaire de John Franklin et, plus récemment, les rugbymen uruguayens ayant survécu à un accident d'avion dans les Andes. En général, les historiens considèrent qu'il y a eu, en la matière, plus d'accusations que d'actes véritables.

Le café est sans doute apparu en Ethiopie, dans la région de Kaffa. Avant de le consommer sous forme de boisson, on mâchait les feuilles et les baies rouges du caféier. Les premières cultures sont apparues au Yemen, d'où le café était jadis exporté dans toute l'Arabie. Le prophète Mahomet lui-même en vantait les bienfaits. Le café s'est répandu vers l'Occident à partir du XVIe siècle.

Grains de café

Les boutiques de café firent leur apparition dans toute l'Europe au XVIe siècle, cette nouvelle boisson connaissant l'engouement malgré le mépris des notables. En France, on essaya de l'interdire de peur qu'il ne remplace le vin comme boisson nationale tandis que les Allemands craignaient pour leur bière.

Le thé est consommé en société au moins depuis la dynastie chinoise des Tang (618-907). Les explorateurs portugais furent les premiers Européens à découvrir le thé, au Japon en 1560. Très vite, l'Europe en importa et il fut rapidement adopté par les gens aisés en France, aux Pays-Bas et plus tard en Grande-Bretagne. Jadis, le thé était même préféré au café dans les colonies d'Amérique. Lorsque les Britanniques levèrent une taxe douanière sur cette denrée, les colons se révoltèrent en jetant des caisses de thé anglais dans le port de Boston.

Jadis, en France, les moines cultivaient souvent des vignes et c'est ainsi que l'un d'entre eux, nommé Dom Pérignon, inventa le procédé de vinification du champagne.

Dans l'Egypte ancienne, les adultes comme les enfants buvaient de la bière aux repas. Cette boisson, obtenue par la fermentation de dattes et de pain d'orge, très nourrissante et peu alcoolisée, ressemblait à une soupe épaisse. Elle était également plus saine que l'eau du Nil qui pouvait transmettre des vers intestinaux.

Il arrive à tout le monde, de rencontrer, à l'occasion, un ver dans un fruit, mais en réalité, presque tous les types d'aliments que nous consommons peuvent renfermer des insectes en petites quantités. D'ailleurs, la législation alimentaire accepte la présence de larves ou de fragments d'insectes et fixent – à des seuils très bas – les normes acceptables. En fait, nous absorbons peut-être un kilo d'insectes par an sans le savoir !

# QUESTIONS / RÉPONSES

## Quels sont les aliments et les boissons les plus coûteux au monde ?

Le caviar beluga fait partie des gourmandises les plus onéreuses : il s'agit des œufs de l'esturgeon beluga, généralement en provenance de Russie. Le safran est l'épice la plus coûteuse. Pour le récolter, on prélève les trois petites étamines d'une fleur de la famille des crocus. Il faut 225 000 étamines pour produire 450 g de safran, d'où la nécessité d'une abondante main-d'œuvre.

Safran sur les étamines

Les truffes sont les champignons les plus chers. Certains cochons et chiens sont dressés à les localiser dans le sol à l'odorat. Le café Kopi Luwak, très prisé, est environ 50 fois plus cher que les autres. C'est un café particulier parce que ses grains doivent être digérés par la civette palmiste avant d'être récupérés dans… les excréments de l'animal !

Fleur de crocus

## Quels sont les aliments de base utilisés dans le monde ?

Il existe environ 50 000 plantes comestibles sur terre, mais trois seulement – le riz, le maïs et le blé – fournissent 60 % des apports alimentaires mondiaux. Les autres aliments de base sont le millet, le sorgho, les racines et tubercules (tels que les pommes de terre, le manioc, l'igname et le taro) que l'on complète par des protéines animales : viande, poisson, fromage et œufs.

## Qui produit les denrées alimentaires sur la planète ?

Ce sont essentiellement les cultivateurs, qui sont 19 fois plus nombreux dans les pays en voie de développement que dans les pays industrialisés. Les femmes jouent en général un grand rôle dans l'approvisionnement en nourriture. Dans les pays en développement, ce sont surtout elles et les enfants qui s'occupent des cultures familiales et du petit bétail.

## Parmi les plantes et animaux sauvages, quels sont ceux qui servent à l'alimentation de l'homme ?

Le poisson est de loin la ressource naturelle la plus utilisée par l'homme dans le monde. C'est la principale source de protéines d'origine sauvage pour 1 milliard d'individus, les autres sources étant les insectes, les oiseaux, les grenouilles, les rongeurs et les grands mammifères. On ramasse et on consomme également les produits de la forêt : feuilles, fruits, graines et noix. Dans certaines zones rurales pauvres, les habitants se nourrissent davantage de plantes sauvages que de plantes cultivées.

## Quelle est la quantité moyenne de nourriture absorbée par une personne ?

Chaque jour, environ 11,5 litres de nourriture digérée, de liquides et de sucs digestifs transitent par notre système digestif mais seulement 100 ml en moyenne sont évacués sous forme d'excréments. Chaque être humain consomme environ 500 kg d'aliments par an, mais ce chiffre varie en fonction de la région du monde où il vit. Dans les pays pauvres, où sévit la malnutrition, les quantités sont nettement moindres.

Esclaves au travail dans une plantation de canne à sucre

## QUELQUES RECORDS

- **LA PLUS GROSSE BOÎTE DE CHOCOLATS**
  Une boîte réalisée en 2002 par une compagnie de Chicago contenait 90 090 chocolats.

- **LE PLUS GROS COOKIE**
  Un cookie aux pépites de chocolat fabriqué à Christchurch, en Nouvelle-Zélande, en 1996, mesurait 24,90 m de diamètre.

- **LE PIMENT LE PLUS FORT**
  C'est le Savina Habanero rouge, qui est 50 fois plus fort que le piment japaleno.

- **LA PLUS GRANDE BATAILLE DE NOURRITURE**
  C'est un combat de tomates qui a lieu lors du festival de la Tomatina, dans le village de Buñol, en Espagne.

La bataille de tomates du festival de la Tomatina

## Quand l'homme a-t-il commencé à consommer du sucre ?

Dès 800 av. J.-C. en Inde, on savait déjà comment récupérer et faire sécher le jus de la canne à sucre afin d'obtenir des cristaux de sucre. Les Arabes introduisirent cette nouveauté en Europe où elle était prisée comme médicament. Considéré jadis comme remède idéal contre les maux de dents, les apothicaires râpaient des cônes de sucre pour le vendre en flocons. Vers 1750, le sucre était devenu denrée de base même pour les pauvres. Les esclaves travaillaient jour et nuit pour cultiver, récolter et transformer la canne à sucre dans les énormes plantations des Antilles.

*Quelque 12 tonnes de tomates sont nécessaires pour le combat.*

# UNE CHRONOLOGIE DE L'HISTOIRE DE L'ALIMENTATION

Voici une série d'événements qui, au cours du temps et dans le monde entier, ont jalonné l'histoire de l'alimentation humaine. On y voit comment, de la maîtrise du feu à l'arrivée du four à micro-ondes, les inventions et les innovations ont transformé notre façon de manger, comment les grands voyages d'exploration ont contribué à répandre certains aliments loin de leur continent d'origine et comment les évolutions dans le domaine culinaire ont modelé les tendances alimentaires de nos sociétés.

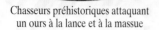

Chasseurs préhistoriques attaquant un ours à la lance et à la massue

**IL Y A 700 000 ANS ENVIRON**
Domestication du feu par *Homo erectus*.

**IL Y A 400 000 ANS**
Le régime alimentaire des hommes préhistoriques est composé de plantes sauvages, de racines, de noix, de graines et de glands. Les chasseurs poursuivent certains animaux pour les tuer.

**IL Y A 75 000 ANS**
L'homme de Néandertal est un habile chasseur qui s'attaque aux mammouths et aux tigres à dents de sabre.

**IL Y A 35 000 ANS**
L'homme moderne, grâce à son intelligence, chasse mieux avec de meilleures armes.

**IL Y A 25 000 ANS**
Les aliments sont cuits dans des trous dans le sol tapissés de braises ou de cailloux brûlants.

**IL Y A 12 000 ANS**
Les tribus du Nil inférieur utilisent des couteaux pour moissonner des graminées sauvages et font de la farine avec leurs graines. Au Japon, les potiers fabriquent des récipients d'argile pour le stockage et la cuisson des aliments.

**IL Y A 10 000 ANS ENVIRON**
Domestication de la chèvre au Proche-Orient.

**8000 AV. J.-C.**
Culture des semences de céréales sauvages au Proche-Orient. Les peuples nomades commencent à se sédentariser.

**5000 AV. J.-C.**
Début de la culture du riz dans le delta du fleuve Yangzi Jiang, en Chine.

**2800 AV. J.-C.**
Les fermiers sumériens inventent la faucille. Cet outil dont la lame est courbée en demi-cercle restera le principal instrument de moisson pendant des milliers d'années.

**2500 AV. J.-C.**
Les ouvriers qui construisent la grande pyramide de Chéops, en Egypte, sont nourris de pois chiches, d'oignons, de poisson et d'ail.

**1500 AV. J.-C.**
La majorité des plantes alimentaires connues aujourd'hui sont déjà cultivées à cette époque.

**350 AV. J.-C.**
Le premier livre de cuisine est écrit par le Grec Archestratus.

**312 AV. J.-C.**
Rome est approvisionnée en eau potable par un aqueduc reliant la ville aux sources des collines.

**400 AP. J.-C.**
Le médecin grec Anthimus donne des conseils alimentaires aux chrétiens dans *La Diététique*. Il affirme que les aliments doivent être choisis en fonction de leur degré de digestibilité et préconise d'éviter, entre autres, la couenne du lard, le pigeon et les champignons.

**1250**
De retour du Moyen-Orient, les croisés rapportent en Europe la cardamome, la cannelle, le clou de girofle, la coriandre, le cumin, le gingembre, le macis, le safran et la noix de muscade.

**1400**
Les échoppes italiennes fabriquent des pâtes pour les vendre ; jusqu'alors, c'était un mets de luxe.

**1492**
L'explorateur italien Christophe Colomb découvre les produits du Nouveau Monde : patate douce, poivron, banane plantain et maïs.

**1510**
Le tournesol d'Amérique arrive en Europe et devient rapidement l'une des principales plantes oléagineuses cultivées.

**1519**
Le conquistador Hernan Cortés découvre le chocolat à la cour de l'empereur aztèque Moctezuma. On rapporte que ce dernier en buvait 50 gobelets par jour.

**1525**
Des piments d'Amérique sont introduits en Inde.

**1530**
Dans les Andes, un explorateur espagnol découvre la pomme de terre qui va devenir la culture de base en Europe.

**1561**
Un médecin invente la marmelade pour soigner la reine d'Ecosse, Marie, malade lors d'une traversée en bateau entre la France et son pays.

**1582**
Première mention connue du café sur un document imprimé, par un marchand européen voyageant en Arabie.

**1610**
Le cardinal de Richelieu, las de voir les gens se curer les dents de la pointe de leur poignard, invente le couteau de table à bout arrondi. François Ier avait lancé l'usage de l'assiette et Henri III celui de la fourchette durant le siècle précédent.

**1630**
Le chef indien Quadequina fait découvrir aux colons britanniques un maïs dont les grains sont plus petits que ceux du maïs classique. Ces grains ont la propriété, au contact de la chaleur, de gonfler et d'éclater ; ils font partie des aliments traditionnels de son peuple. Les Anglais lui donnent le nom de pop-corn (« maïs qui éclate »).

**1677**
Les Français établissent de vastes plantations de cacao au Brésil.

**1681**
En France, Denis Papin invente le principe de la cuisson à la vapeur.

Chèvre domestique

**1689**
Un médecin italien recommande de boire du jus de noix, affirmant que cela a un effet bénéfique sur la santé et la longévité.

**1702**
Une boutique de sushis ouvre au Japon.

**1723**
Des caféiers sont cultivés pour la première fois en Martinique, dans les Antilles françaises.

**1729**
Dans sa satire *Modeste Proposition*, l'écrivain irlandais Jonathan Swift suggère de manger les enfants afin de résoudre la crise de la population dans son pays.

On peut mettre de tout dans un sandwich.

**1762**
Un Anglais, le comte de Sandwich, invente le… sandwich.

**1764**
Création en France du premier restaurant ouvert au public.

**1805**
L'inventeur américain Oliver Evans conçoit la première machine de réfrigération.

**1809**
Le Français Nicolas Appert invente le processus de mise en conserve (ou appertisation) : les aliments sont stérilisés dans des récipients qui sont scellés avec des bouchons et du goudron.

**1812**
Première recette connue du ketchup.

**1824**
Construction en Italie de la première usine de fabrication de pâtes.

**1826**
Conception en Angleterre de la première cuisinière à gaz commercialisable.

**1853**
Invention des premières chips à Saratoga Springs, dans l'état de New York, aux Etats-Unis. Un client qui s'était plaint dans un restaurant que les frites étaient trop épaisses reçut à la place des lamelles de pommes de terre frites.

**1859**
L'anorexie (refus volontaire de s'alimenter) est reconnue comme maladie. Elle affecte le plus souvent les jeunes femmes.

**1869**
Participant à un concours lancé par Napoléon III pour trouver un substitut au beurre, le chimiste français Hippolyte Mège-Mauriès invente la margarine, qui est fabriquée à partir de graisses végétales.

**1885**
La bactérie salmonelle est décrite pour la première fois.

**1886**
Invention du Coca-Cola aux Etats-Unis par un pharmacien d'Atlanta, John Styth Pemberton.

**1889**
Le mot hamburger est utilisé pour la première fois aux Etats-Unis pour désigner un bifteck consommé essentiellement par des immigrés allemands de la région de Hambourg.

**1895**
Le mot « calorie » est appliqué à la nourriture par le chimiste américain Wilbur Atwater.

**1897**
Campbell invente la soupe concentrée déshydratée aux Etats-Unis. Il suffit d'ajouter de l'eau et faire réchauffer pour obtenir rapidement un potage consommable.

**1900**
En Angleterre, on commence à vendre le lait en bouteilles.

**1901**
Dans le Middle West américain, plusieurs meuniers s'unissent pour créer la société Quaker Oats, fabricant des flocons d'avoine.

**1903**
Le beurre de cacahuète est lancé aux Etats-Unis. Il est présenté comme un produit recommandé pour la santé.

**1916**
Coca-Cola adopte la forme de bouteille qu'on lui connaît encore aujourd'hui. On dit qu'elle rappelle la feuille de coca ou la noix de kola.

**1929**
Fondation d'Unilever, première multinationale alimentaire.

**1932**
La firme Moulinex lance le presse-purée à manivelle, inventé par l'industriel parisien Jean Mantelet pour rendre service à son épouse. Le moulin à café électrique suivra bientôt.

Flocons d'avoine Quaker Oats

**1938**
Le Suisse Max Morgenthaler invente le café instantané soluble, commercialisé par la société Nestlé.

**1941**
Aux Etats-Unis, la notion d'apports nutritionnels recommandés est introduite pour la première fois, afin d'informer des quantités de nutriments nécessaires à une bonne santé.

**1953**
Sortie du premier plateau-télé congelé aux Etats-Unis. On retire l'opercule et on le place au four quelques minutes. Le concept s'est répandu et a été décliné sous de multiples formes depuis.

**1953**
La firme SEB commercialise la première cocotte minute, inventée par le Français Frédéric Lescure.

**1955**
Le restaurateur américain Ray Kroc ouvre son premier stand de hamburgers McDonald.

**1955**
Le premier four à micro-ondes est commercialisé aux Etats-Unis. Il se généralisera dans les foyers américains dans les années 1970.

Coca-Cola

**1982**
Des substituts aux œufs sont commercialisés car on se préoccupe du cholestérol contenu dans le jaune d'œuf.

**MILIEU DES ANNÉES 1980**
Le four à micro-ondes et les produits adaptés à ce mode de cuisson connaissent un succès croissant.

**1986**
La maladie de la vache folle commence à effrayer la Grande-Bretagne.

**1996**
Suite à la crise de la vache folle et au risque de développement de la maladie de Creutzfeldt-Jakob, la viande de bœuf et d'autres produits dérivés en provenance du Royaume-Uni sont interdits à l'exportation en Europe. L'Union européenne lèvera son interdiction en 1999 pour la viande répondant à des conditions de sécurité spécifiques.

**2004**
L'Union européenne autorise les cultures transgéniques dans des conditions contrôlées. Les aliments transgéniques doivent être clairement étiquetés.

# POUR EN SAVOIR PLUS

Il existe diverses façons d'aller plus loin dans la découverte de la nourriture, ses modes de production et son histoire. Certains musées exposent des outils et machines agricoles ainsi que des objets relatifs à l'alimentation, d'autres peuvent accueillir des expositions temporaires. La visite de fermes pédagogiques ou d'usines agro-alimentaires est également très instructive. Faire un tour dans un magasin de produits exotiques permet de découvrir ces fruits et légumes insolites, si communs dans d'autres pays. Enfin, il ne faut pas rater, en octobre, la semaine du goût qui donne lieu à de multiples manifestations dans la France entière.

### LA VISITE D'UNE USINE
Participer à la visite d'une usine permet de voir de près des chaînes de production alimentaire. Une recherche sur Internet permet de trouver les sociétés qui organisent des visites de leurs installations. Cela donne une idée beaucoup plus précise de la façon dont les aliments qui garnissent de nos jours les rayons des supermarchés sont fabriqués… souvent avec, en prime, une dégustation et des échantillons gratuits.

Chaîne de production dans une usine de gâteaux secs

### LES CHARMES DE LA FERME
Quelle que soit la région où l'on vit, il est facile de trouver une ferme pédagogique à visiter. Il suffit de faire une recherche sur Internet ou de consulter un office du tourisme ou les mairies pour obtenir l'adresse la plus proche. Des vacances à la ferme constituent également une expérience unique. Au printemps, en particulier, les bébés animaux venant de naître ont beaucoup de succès.

On peut faire germer des graines sans terre sur un papier humide.

Graines de soja

Le durian, un fruit d'Asie du Sud-Est

### CONSOMMER SES PROPRES RÉCOLTES

Comment les plantes poussent-elles ? Si l'on a la chance d'avoir un jardin, le mieux est d'essayer de faire pousser ses propres légumes. Même une simple jardinière sur le rebord d'une fenêtre peut produire des herbes aromatiques pour relever les plats. On peut se procurer des guides de jardinage dans une bibliothèque ou une librairie où l'on trouvera toutes les instructions nécessaires, ou encore demander conseil dans une jardinerie.

### EXPÉRIENCES EXOTIQUES

Les magasins de produits exotiques donnent l'opportunité de contempler et de humer les senteurs des étalages d'épices, de fruits et de légumes venus d'ailleurs. Sur un marché, un marchand de plats préparés typiques d'un pays étranger est une invite à expérimenter de nouvelles saveurs.

## CONSTRUIRE UN MENU ÉQUILIBRÉ

Un menu équilibré doit être constitué de 5 types d'aliments :
- 1 glucide complexe (pâtes, riz, semoule, blé, pain…)
- 1 plat protéiné (viande, poisson, œuf)
- 1 produit laitier (fromage, yaourt, fromage blanc, petit-suisse…)
- 1 fruit ou légume cru
- 1 fruit ou légume cuit.

La plupart des recettes sont composées de plusieurs types d'aliments. Ainsi, un couscous est constitué d'une ou plusieurs viandes, d'un glucide complexe (semoule) et de légumes cuits. Des endives au jambon associent une viande, un légume cuit et un produit laitier (la sauce béchamel). Une pizza combine glucide complexe (la pâte), une viande, des légumes cuits et des produits laitiers. Pour être sûr de bien équilibrer son menu et de ne rien oublier, il est conseillé de suivre un certain ordre pour l'établir. On détermine en premier le plat de résistance, c'est-à-dire l'aliment protéiné et son accompagnement (souvent un légume cuit). On choisit ensuite l'entrée qui s'accordera avec, puis le dessert et le produit laitier (fromage).

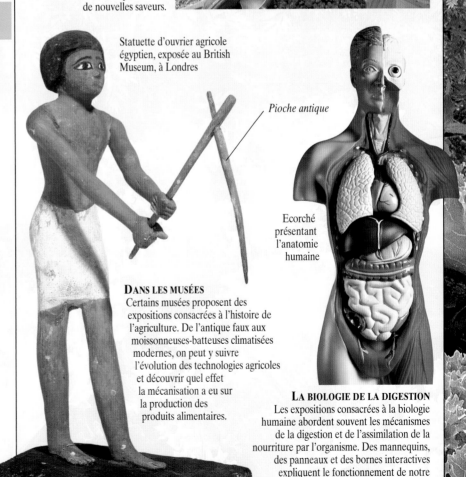

Statuette d'ouvrier agricole égyptien, exposée au British Museum, à Londres

Pioche antique

Ecorché présentant l'anatomie humaine

### DANS LES MUSÉES

Certains musées proposent des expositions consacrées à l'histoire de l'agriculture. De l'antique faux aux moissonneuses-batteuses climatisées modernes, on peut y suivre l'évolution des technologies agricoles et découvrir quel effet la mécanisation a eu sur la production des produits alimentaires.

### LA BIOLOGIE DE LA DIGESTION

Les expositions consacrées à la biologie humaine abordent souvent les mécanismes de la digestion et de l'assimilation de la nourriture par l'organisme. Des mannequins, des panneaux et des bornes interactives expliquent le fonctionnement de notre système digestif qui transforme les aliments en énergie.

# GLOSSAIRE

**ACIDES AMINÉS** Composés de base constituant les protéines. Ils sont essentiels au métabolisme humain.

**ACIDES GRAS ESSENTIELS** Catégorie d'acides gras (lipides) nécessaires à notre alimentation car l'organisme ne peut les fabriquer. Ils se répartissent en deux groupes : les Oméga 3 et les Oméga 6.

**ACIDES GRAS INSATURÉS** Type de lipides habituellement liquides à température ambiante.

**ACIDES GRAS MONO-INSATURÉS** Type de lipides habituellement liquides à température ambiante et solides, ou semi-solides, au réfrigérateur. On en trouve dans les huiles d'olive et d'arachide.

**ACIDES GRAS POLY-INSATURÉS** Type de lipides habituellement liquides à température ambiante. On en trouve dans les huiles végétales comme l'huile de maïs.

**ACIDES GRAS SATURÉS** Type de lipides habituellement solides à température ambiante. On en trouve dans le beurre, le saindoux, les huiles de palme et de noix de coco.

**ADDITIF** Substance que l'on ajoute à un aliment ou à une boisson comme conservateur ou colorant, par exemple. Les additifs ne sont pas des constituants naturels des aliments.

**AGRICULTURE** Ensemble des activités relatives à la culture de la terre et à l'élevage des animaux.

**ALLERGIE** Réaction de défense anormale du système immunitaire d'un individu face à une substance normalement inoffensive en même quantité pour la majorité des gens.

**ANTIOXYDANTS** Substances se trouvant dans les fruits, les légumes et autres végétaux empêchant le processus d'oxydation. La vitamine C est un antioxydant.

**APPAREIL DIGESTIF** Ensemble des organes allant de la bouche à l'anus dans lesquels les aliments sont digérés et assimilés.

**APPORTS JOURNALIERS RECOMMANDÉS (AJR)** Quantité de nutriments quotidienne indispensable au maintien en bonne santé, selon la tranche d'âge.

**AQUACULTURE** Elevage de poissons ou de fruits de mer dans la mer, les lacs ou les rivières.

**BACTÉRIE** Micro-organisme formé d'une seule cellule. Certaines bactéries sont bénéfiques, d'autres provoquent des maladies.

**BÊTA-CAROTÈNE** Nutriment présent dans les fruits et légumes, notamment de couleur jaune ou orange, que l'organisme convertit en vitamine A.

Cristaux de calcium

Les myrtilles contiennent des antioxydants.

**BILE** Liquide visqueux et amer sécrété par le foie intervenant dans la digestion.

**BIOLOGIQUE** Qualifie un aliment produit sans recours aux engrais artificiels, aux pesticides ou autres apports chimiques.

**CALCIUM** Minéral nécessaire à la constitution des os et des dents.

**CALORIE** Unité de mesure de la valeur énergétique des aliments.

**CANCÉRIGÈNE** Substance pouvant provoquer le cancer.

**CARNIVORE** Animal se nourrissant de viande.

**CASÉINE** Protéine du lait qui se solidifie lors de la fabrication du fromage.

**CHOLESTÉROL** Substance grasse présente dans certains aliments mais aussi fabriquée par le foie. Présent en excès dans l'organisme, il peut provoquer des dépôts dans les artères qui apportent le sang au cœur, rétrécissant leur diamètre et entraînant l'infarctus du myocarde.

**CONSERVE** Méthode de conservation des aliments dans laquelle les produits sont placés dans des récipients hermétiques et stérilisés.

**CRUSTACÉS** Catégorie d'animaux à coquille dure comprenant les crabes, les homards et les crevettes.

**DIGESTION** Ensemble des transformations subies par les aliments dans l'organisme afin d'être assimilés par le sang et apportés aux cellules.

**ÉNERGIE** Force pouvant se présenter sous diverses formes, nécessaire à tout système produisant un travail, et force développée par ce système. Dans le cas de l'alimentation et de la digestion, l'énergie est apportée par les aliments sous une forme chimique à l'organisme. Celui-ci, pour fonctionner, va l'utiliser en partie sous cette forme chimique, et en partie la transformer en énergie mécanique et cinétique (mouvement) et en énergie calorifique (chaleur).

**ENZYME** Substance protéique qui favorise les réactions chimiques dans le corps.

**ESTOMAC** Robuste poche musculaire dans laquelle parviennent les aliments après avoir transité dans l'œsophage. Il brasse la nourriture et la mélange aux enzymes.

**FAMINE** Privation d'alimentation due à une raréfaction importante des denrées alimentaires pendant une certaine période.

**FER** Oligo-élément contribuant au transport de l'oxygène dans l'organisme par les globules rouges.

**FIBRES ALIMENTAIRES** Composés présents dans les végétaux et que l'organisme humain digère mal.

**FLAVONOÏDE** Gamme de composés naturels présents dans les végétaux. Leurs propriétés sont bénéfiques pour la santé (effet protecteur contre le cancer, par exemple).

Molécule d'acide linoléique, un acide gras essentiel

**FOIE** Organe digestif qui stocke le glucose sous forme de glycogène, sécrète la bile et filtre le sang.

**FUMAISON** Méthode de conservation des aliments en les exposant à la fumée d'un feu.

**GLUCIDES** Composés constituant les sucres simples (comme le glucose) et complexes (comme l'amidon) comptant pour une part importante dans l'apport énergétique alimentaire.

Aliments contenant des glucides complexes

**GLUCIDE COMPLEXE** Glucide formé par une longue chaîne de molécules d'oses, les composants de base des glucides. Les végétaux stockent l'énergie sous forme de glucides complexes.

**GLUCIDE SIMPLE** Glucide dont la molécule est formée d'une courte chaîne d'oses (voir ci-dessous), tels que le lactose (dans le lait) le fructose (dans les fruits et le miel) et les sucres transformés comme le saccharose (sucre de table). Ils sont facilement dégradés en glucose, qui est aussi un glucide simple.

**GLUCOSE** Sucre simple dont la molécule constitue l'un des oses, qui sont les unités chimiques de base des glucides. Il est présent dans les jus de fruits et de plantes ainsi que dans le sang des animaux.

**GLUTAMATE DE SODIUM** Sel cristallin blanc utilisé comme agent de sapidité.

**GLYCOGÈNE** Forme de glucide sous laquelle le glucose est stocké dans le foie et les muscles.

**GROS INTESTIN** Gros organe tubulaire dans lequel pénètre la nourriture en sortant de l'intestin grêle au cours de la digestion.

**HERBIVORE** Animal se nourrissant de végétaux.

**INDEX GLYCÉMIQUE** Classement des glucides en fonction de la rapidité avec laquelle ils libèrent leur glucose dans le sang.

**INSULINE** Hormone régulant le taux de glucose dans le sang.

**INTESTIN GRÊLE** Long organe tubulaire faisant partie de l'appareil digestif succédant à l'estomac, dans lequel la nourriture est transformée et assimilée.

**IRRADIATION** Procédé de conservation des aliments permettant de tuer les micro-organismes nocifs par des radiations.

**LACTO-OVO-VÉGÉTARISME** Régime alimentaire végétarien autorisant, outre la consommation de végétaux, celle des œufs, du lait et des produits laitiers.

**LACTO-VÉGÉTARISME** Régime alimentaire végétarien autorisant, outre la consommation de végétaux, celle du lait et des produits laitiers.

**LIPIDES** Catégorie de composés alimentaires comprenant le beurre, les huiles et toutes les matières grasses. Ils apportent les acides gras saturés, mono-insaturés et poly-insaturés.

**MÉTABOLISME DE BASE** Quantité d'énergie minimale nécessaire à l'organisme pour fonctionner à l'état de repos.

**MINÉRAL** Composé non organique nécessaire à la croissance, aux processus de réparation et au fonctionnement du corps.

**MOLLUSQUE** Animal à corps mou possédant généralement une coquille, par exemple les moules.

**NUTRIMENT** Substance que l'on trouve dans les aliments, nécessaire à la vie et à la croissance.

**NUTRITIONNISTE** Médecin traitant par des régimes les personnes souffrant de maladies nutritionnelles.

**ŒSOPHAGE** Conduit reliant la bouche et l'estomac dans lequel transitent les aliments après déglutition.

**OXYDATION** Processus chimique par lequel les cellules du corps dégradent les aliments en présence d'oxygène.

**PANCRÉAS** Glande sécrétant des sucs digestifs et l'insuline.

**PHOTOSYNTHÈSE** Processus par lequel les plantes vertes transforment la lumière du soleil, le dioxyde de carbone et l'eau en éléments nourriciers.

**PRODUITS LAITIERS** Famille des produits alimentaires dérivés du lait, tels le fromage, le beurre et le yaourt.

**PROTÉINE ou PROTIDE** Chaîne d'acides aminés. Les protéines sont essentielles à la constitution, la croissance et la réparation des tissus vivants.

**PROTÉINE COMPLÈTE** Protéine renfermant tous les acides aminés essentiels. La viande, le poisson et les œufs apportent des protéines complètes.

**PROTÉINE INCOMPLÈTE** Protéine qui ne comprend pas tous les acides aminés essentiels, présente, par exemple dans les légumes verts, les céréales et les légumes secs.

**PYRAMIDE ALIMENTAIRE** Mode de présentation schématisée d'un régime alimentaire équilibré proposé en 1992 aux Etats-Unis.

**RADICAUX LIBRES** Substances produites au cours de l'oxydation susceptibles de provoquer des maladies.

Aliments convenant aux végétaliens

**RÉSEAUX ALIMENTAIRES** Dans la nature, ensemble d'organismes reliés les uns aux autres en réseaux parfois vastes par des liens de dépendance alimentaire.

**RUMINANT** Animal dont le processus digestif est marqué par une phase de rumination, au cours de laquelle les aliments remontent dans la cavité buccale et sont mastiqués une deuxième fois. Les bovins sont des ruminants.

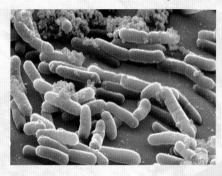

Salmonelles vues au microscope

**SALAISON** Procédé de conservation des aliments dans de grandes quantités de sel.

**SALIVE** Liquide transparent sécrété dans la bouche par les glandes salivaires, qui commence la digestion des aliments.

**SALMONELLE** Grand groupe de bactéries en forme de bâtonnets, dont la plupart provoque des empoisonnements alimentaires.

**SÉCHAGE** Procédé de conservation des aliments au terme duquel ceux-ci ne contiennent plus d'eau, ni de liquide.

**SOLUBLE** Qualifie un composé ayant la capacité de se dissoudre.

**SYSTÈME IMMUNITAIRE** Mécanisme de défense de l'organisme qui le protège des agents externes responsables de maladies.

**TOXIQUE** Qui contient une substance nocive.

**VÉGÉTALISME** Régime alimentaire uniquement constitué de végétaux.

**VÉGÉTARISME** Régime alimentaire à base de végétaux, avec ou sans produits dérivés des animaux, tels que les produits laitiers, les œufs et le miel.

**VÉSICULE BILIAIRE** Organe en forme de petit sac situé près du foie et contenant la bile.

**VILLOSITÉ INTESTINALE** Petite saillie filiforme située dans l'intestin grêle par laquelle les aliments sont assimilés.

**VITAMINE** Substance organique essentielle, en petites quantités, à la nutrition de la plupart des animaux et de certaines plantes.

# INDEX

## ICONOGRAPHIE

a = au-dessus ; b = bas/en dessous ; c = centre ;
g = gauche ; d = droite ; h = haut.

Les éditeurs adressent leurs remerciements
aux personnes et/ou organismes cités ci-
dessous.

3 Getty Images : AFP. 4 DK Images : Clive
Streeter © DK avec l'aimable autorisation de
The Science Museum, Londres (c). 6 Corbis :
H. David Seawall (hg). 7 Photolibrary.com :
OSF (bg) ; 7 Science Photo Library : Susumu
Nishinaga (bc). 8 Science Photo Library : Dr.
Arthur Tucker (hg) ; Zefa Visual Media : O.
Robson (bg). 9 Science Photo Library :
Michael W. Davidson (cdb) ; Still Pictures : I.
Uwanaka/UNEP (hg) ; Topfoto.co.uk : (bd).
10 Corbis : William Sallaz (b) ; DK Images :
Clive Streeter © DK avec l'aimable
autorisation de The Science Museum, Londres
(cd) ; Mary Evans Picture Library : (hg). 11
Science Photo Library : Dr. Tim Evans (hd),
Mehau Kulyk (bg). 12 Mary Evans Picture
Library : (cg) ; ImageState/Pictor : (bc). 13
Alamy Images : (hd) ; ImageState/Pictor :
Paddy Eckersley (g). 16 Corbis : Charles &
Josette Lenras (cd). 17 Empics Ltd : (b) ;
Hulton Archive/ Getty Images : (cg). Science
Photo Library : CNRI (hd), David Scharf
(cga). 18 Mary Evans Picture Library : (hg). 19
DK Images : David Jordan (b) ; Science Photo
Library : Dr. Jeremy Burgess (hg). 20 Mary
Evans Picture Library : (hg) ; Science Photo
Library : Charles D. Winters (hd). 21 Corbis :
Galen Rowell (hd), Patrik Giardino (b) ;
Science Photo Library : Biophoto Associates
(ca), Michael W. Davidson (hg).
22 www.bridgeman.co.uk : Österreichische
Nationalbibliothek, Vienne, Autriche, Alinari
(hg) ; Corbis : Bettmann (hd) ; Science Photo
Library : Cristina Pedrazzini (bg), D. Phillips
(cd cheveux), Ken Eward/Biografx (cg), VVG
(cd peau). 24 Mary Evans Picture Library :
(hg) ; Science Photo Library : David Parker
(bg), prof. P. Motta/Dept of Anatomy/
University « La Sapienza », Rome (c),
Thomas Hollyman (bd). 25 Corbis : Ed bock
(hg) ; DK Images : Guy Ryecart & David
Jordan © The Ivy Press Limited (c) ; Science
Photo Library : Mark Clarke (bd), Michael W.
Davidson (bc). 26 Mary Evans Picture
Library : (hd.) ; ImageState/Pictor : (cdb). 27
Science Photo Library : Andrew Syred (hd),
(cg) ; Still Pictures : SOMBOON-UNEP (bc).
28 Science Photo Library : Dr. Tony Brain
(bd). 29 Pictures Colour Library : (hd) ;
Topfoto.co.uk : (hd) ; Zefa Visual Media :
Sucré Salé/J.Riou (g). 30 Corbis : James
Marshall (bg). 31 Corbis : Philip Gould (bd) ;
Science Photo Library : (cga), Astrid et
Hanns-Frieder Michler (cg), Claude
Nuridsany et Marie Perennou (bg), Profs P.M.
Motta & F.M. Magliocca (cb) ; Still Pictures :
Markus Dlouhy (cd). 32 Corbis : Bettmann

(bg), (bd) ; Getty Images : Christoph Wilhelm
(hg) ; Science Photo Library : CNRI (hc), (ca).
33 Science Photo Library : Eye of Science
(bc), Prof Cinti & V. Gremet (hg), Scott
Camazine (hc). 34 Alamy Images : Julia
Martin (hd). 35 ImageState/Pictor : Adrian
Peacock (hd). Science Photo Library : Dr. P.
Marazzi (bc). 36 Alamy Images : B & Y
Photography (hg) ; Corbis : Bettmann (bd),
Chris Hellier (c). 37 Getty Images : Hulton
Archive/Stringer (hd) ; Powerstock :
Superstock (g) ; Science Photo Library :
NASA (cd), Sidney Moulds (bd). 38 DK
Images : Peter Anderson © Danish National
Museum (hd) ; The Natural History Museum,
Londres : (hg). 39 Alamy Images : Popperfoto
(cg) ; Corbis : David Reggie (bd), Stapleton
Collection (cgb). 40 The Art Archive :
Biblioteca Nazionale Marciana Venice/Dagli
Orti (hg) ; Photolibrary.com : Zhanquan Sun
(b) ; Topfoto.co.uk : (hd). 41 Alamy Images :
Photo Japan (hg) ; Still Pictures : Jochen Tack
(bd) ; Topfoto.co.uk : (cg). 42 Alamy Images :
(bc) ; Corbis : Caroline Penn (bd), Reuters
(cd) ; DK Images : The British Library (hd) ;
Lonely Planet Images : Alan Benson (cg). 43
www.bridgeman.co.uk : Begg, Samuel
(fl. 1886-1916)/The Illustrated Londres News
Picture Library, Londres, UK (hd) ; Corbis :
Frank Leather/Eye Ubiquitous (b) ;
Photolibrary.com : Steven Mark Needham
(cg). 44 DK Images : National Museums of
Scotland (bg) ; Eye Ubiquitous : Chris
Fairclough (cgb). 44 Impact Photos : (cdb) ;
Lonely Planet Images : Sara-Jane Cleland
(hg). 45 Corbis : Archivo Iconografico, S.A.
(cga) ; Getty Images : AFP (b). 46 Alamy
Images : Justine Kase (cg) ; Topfoto.co.uk :
The Image Works (d). 47 Corbis : Bettmann
(cg), Joseph Sohm/Chromosohm Inc. (hg) ;
The Art Archive : São Paulo Art Museum
Brésil/Dagli Orti (c) ; Getty Images : Donna
Day (hd) ; Time Life Pictures (bg) ; Rex
Features : Chat (cd), Ross Hodgson (bd).
48 Corbis : Bettmann (hd) ; DK Images : Geoff
Brightling, avec l'aimable autorisation de The
Museum of English Rural Life, The
University of Reading (hg). 49 Corbis : Paul
Almasy (hg), Peter Beck (b), Richard A.
Cooke (hd). 50 DK Images : Geoff Brightling,
avec l'aimable autorisation de The Museum of
English Rural Life, University of Reading (g).
50-51 Corbis : Farrell Grehan. 51 Alamy
Images : Hal Brindley/VWPICS (bd) ; Eye
Ubiquitous : Sue Passmore (g) ; Getty
Images : John & Eliza Forder (cd) ; Rex
Features : Times Newspapers (hg). 52 Mary
Evans Picture Library : (hg), (hd) ; Science
Photo Library : Mauro Fermariello (cg). 52-53
Alamy Images : Joseph Sohm (b). 53 Alamy
Images : (cd), Nick Simon (hd) ; DK Images :
Geoff Brightling, avec l'aimable autorisation
de The Museum of English Rural Life, The
University of Reading (c) ; Lonely Planet
Images : Alan Benson (c). 54 Corbis : Lindsay
Hebberd (cga) ; DK Images : British Museum
(hg). 55 Corbis : Michael S. Yamashita (hg) ;
Science Photo Library : Simon Fraser (cda). 56
Corbis : Michael S. Yamashita (c), Tom
Nebbia (bg) ; Science Photo Library : Simon
Fraser/Royal Victoria Infirmary, Newcastle
Upon Tyne (hg) ; Still Pictures : Harmut
Swarzbach (cdb) ; Sebastian Bolesch (hd). 57
Alamy Images : Bill Barksdale (c) ; Shout
(hd) ; Corbis : Don Mason (b) ; Science Photo
Library : Barry Dowsett (hg). 58 Corbis :
Bettmann (bg) ; Science Photo Library :
Martyn F. Chillmaid (cda), Peter Menzel (c).
58-59 Alamy Images : Chris Knapton. 59
Science Photo Library : Biology Media (hc),
Dr. Tim Evans (hg) ; Still Pictures : Nick
Cobbing (hd). 60 Getty Images : Time Life
Pictures (hg). 60-61 Alamy Images : (b). 61
DK Images : Guy Ryecart, The Ivy Press (bd).
Still Pictures : Martin Bond (ca), Paul
Glendell (hg), Pierre Gleizes (hd). 62 The Art
Archive : Museo Correr Venice/Dagli Orti
(hg) ; Still Pictures : Hartmut Schwarzbach
(ca) ; Topfoto.co.uk : (cgb). 62-63 Pa Photos :
EPA. 63 Eye Ubiquitous : Mike Powels (cd) ;
Hutchison Library : Crispin Hughes (bd),
Trevor Page (hd) ; Still Pictures : Kelvin/Hubert
(ca). 64 DK Images : Steve Gorton, avec
l'aimable autorisation de Booth Museum of
Natural History, Brighton (bd). Robert
Harding Picture Library : Advertasia (bc) ;
Still Pictures : Harmut Schwarzbach (hg). 65
Corbis : Bettmann (hd), Reuters (bc). 66 akg-
images : (hg) ; DK Images : Philip Dowell (bg).
67 The Advertising Archive : (bd) ; Corbis :
Lake County Museum (hd). 68 Corbis : Ariel
Skelley (hd), Vittoriano Rastelli (c). 69 Alamy
Images : Andre Jenny (hd) ; DK Images :
Peter Hayman © The British Museum (bd) ;
Science Photo Library : Cordelia Molloy (bd).
70 Science Photo Library : (h). 70-71 Science
Photo Library : Prof. K. Seddon & Dr. T.
Evans, Queen's University Belfast (c).
71 Science Photo Library : Eye of Science
(hd). Toutes les autres photographies ©
Dorling Kindersley Ltd.

Couverture : © Dorling Kindersley Ltd.